# コロナ後の世界を生きる

## ——私たちの提言

村上陽一郎編
Yoichiro Murakami

Eurus

Notus

Boreas

Zephyrus

岩波新書
1840

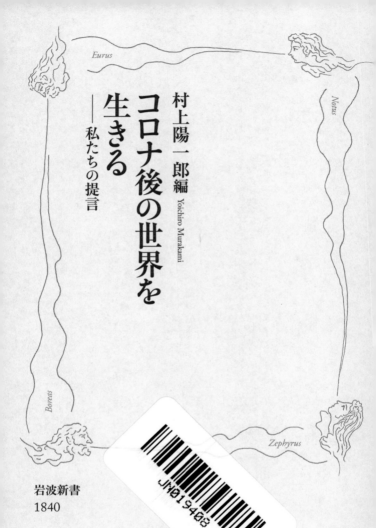

# 編者の言葉

村上陽一郎

人類は、永年の歴史のなかで、自然の脅威を一つ一つ克服してきた。それでも、水害や地震による災害は、昨今むしろ激化する傾向にある。「何百年に一度の災害が迫っています」という予報が気象庁から、毎年発せられると、確率とは何であったか、些か頭が混乱するほどである。その原因の重大な一つが、地球上における人間の「文明」的生活にあるとすれば、グレタ・トゥンベリさんではないが、今、この文明的生活からの転換を果たさなければ、という思いが、生まれてくる。しかし、そうした危機感を嘲笑うかのように、突如二〇二〇年に世界を襲ったこのヴィルス禍は、人類への自然の挑戦に、もう一つの型があったことを教えてくれるものとなった。

その予兆は確かにあった。二〇世紀後半、私たちはＨＩＶというヴィルスが生み出す、新しい型の病患に向き合わなければならなかった。ほぼ半世紀ほどの間に、何とかコントロールする手立てを幾つか見つけてきたが、今世紀になって、ＳＡＲＳとＭＥＲＳという、文字通り新型のヴィルス性感染症の脅威にさらされた。今となってみると、日本がこの二つの感染症の深刻な影響を受けなかったことが、幸福であったかどうか、疑問を持たざるを得ない。明らかに、この二つのコロナ・ヴィルスによる感染症の流行は、自然が与えた重大な警告であった。

今私たちは、未経験な状態のなかで、暗中模索している。しかし、ことは、今、この災禍をどう乗り越えるか、というところに留まらない。この災禍をどのように乗り越えたとしても、その次にやってくる社会は、今までとは違ったものにならざるを得ないだろう。その社会を、少なくともこれまでのそれよりも、少しでも望ましいものにしていくためには、今私たちが実行している乗り越え方が、大きな意味を担っているはずである。その自覚の下で、私たちが、ベストな解決策でなくとも、ベターな解決策を実行するために、何が必要か。

本書は、様々な分野で活躍しておられる方々の、生の声、現状への思索を採録した形となっている。ことのほかご多忙な日々であるはずの、各執筆者には、真底から感謝申し上げるとともに、読者の皆様にとって、本書が、それぞれの場所で、「ベター」な未来に向かって歩を進めるためのよすがになるのであれば、編者としてこれに過ぎる喜びはない。

英語に〈Last, but not least〉という表現がある。「最後になったが……」という意味だろう。そこで、コロナ禍でまともな勤務状態がとれない中、編集の業務に献身的に努めて下さった新書編集部の皆様、お一人お一人お名前は挙げませんが、心から有難うを奉げます。

# 目次

編者の言葉

# Ⅰ　危機の時代を見据える

# パンデミックを生きる指針——歴史研究のアプローチ

藤原辰史

## 1 起こりうる事態を冷徹に考える

人間という頭でっかちな動物は、目の前の輪郭のはっきりした危機よりも、遠くの輪郭のぼやけた希望にすがりたくなる癖がある。だから、自分はきっとウイルスに感染しない、自分はそれによって死なない、職場や学校は閉鎖しない、あの国の致死率はこの国ではありえない、と多くの人たちが楽観しがちである。私もまた、その傾向を持つ人間のひとりである。

甚大な危機に接して、ほぼすべての人びとが思考の限界に突き当たる。だから、楽観主義に依りすがり現実から逃避してしまう——日本は感染者と死亡者が少ない。日本は医療が発達している。子どもや若い人はかかりにくい。一、二週間が拡大か制圧かの境目だ。二週間後が瀬戸際だ。三週間後が分水嶺だ。一年もあれば五輪開催は大丈夫だ。一〇〇人に四人の中には入らないだろう。そう思いたくなっても不思議ではない。希望はいつしか根拠のない確信と成り果てる。第一次世界大戦は一九一四年の夏に始まり一九一八年の秋まで続いたが、開戦時にドイツ皇帝ヴィルヘルム二世はクリスマスまでには終わると国民に約束した。第二次世界大戦では、日本の勝利に終わると大本営は国民に繰り返し語っていた。このような為政者の楽観と空威張りを、マスコミが垂れ流し、政府に反対してきた人たちでさえ、かなりの割合で信じていたことは、歴史の冷酷な事実である。

ペストの猛威、三十年戦争、リスボンの大震災、ナポレオン戦争、アイルランドのジャガイモ飢饉、コレラやペストや結核の蔓延、第一次世界大戦、スペイン風邪、ウクライナ飢饉、第二次世界大戦、チェルノブイリ原発事故、東京電力の原発事故、毎年のように人びとを襲う台風、水害、地震。世界史は生命の危機であふれている。いずれにしても甚大な危機が到来したとき、現実の進行はいつも希望を冷酷に打ち砕いてきた。とりわけ大本営発表にならされてきた日本では、為政者たちが配信する安易な希望論や道徳論や精神論(撤退ではなく転進と表現するようなごまかしなど)が、人を酔わせて判断能力を鈍らせる安酒にすぎないことは、歴史的には常識である。その程度の希望なら抱かない方が安全とさえ言える。

想像力と言葉しか道具を持たない文系研究者は、新型コロナウイルスのワクチンも製造できないし、治療薬も開発できない。そんな職種の人間にできることは限られている。しかし小さくはない。たとえば、歴史研究者は、発見した史料を自分や出版社や国家にとって都合のよい解釈や大きな希望の物語に落とし込む心的傾向を捨てる能力を持っている。そうして、虚心坦懐に史料を読む技術を徹底的に叩き込まれてきた。その訓練は、過去に起こった類似の現象を参考にして、人間がすがりたくなる希望を冷徹に選別することを可能にするだろう。科学万能主義とも道徳主義とも無縁だ。幸いにも私は環境史という人間と自然(とくに微生物)の関連を歴史的に考える分野にも足を突っ込んでいる。こうした作業で、現在の状況を生きる方針を探る、せめて手がかりくらいを得られたらと願う。

## 2　国に希望を託せるか

まず、現実を観察したい。

新型コロナウイルスは世界を分断している。日本の内部も。そもそも、日本だけ感染者が少ないという事実は、検査量の少なさに拠るところも多く、喜んでいられない。運悪く最近まで東京オリンピックを七月に実施したいと足掻いていた人たちが、日本社会に根拠のない楽観主義をもたらしてきた。しかし、延期が決定するやいなや首都では感染者の数が急速に増えつづけている。世界では高齢者や重病者以外の感染者も死者も増えてきている。さらにいえば、新型コロナウイルスは、人びとの健康のみならず、国家、家族、そして未来への信頼を打ち砕きつつある。すでにもう土台がぐらついていたものばかりであるが。

第一に、国家。

人びとは、危機が迫ると最後の希望をリーダーに託し、リーダーの「鶴の一声」にすがろうとする。自分の思考を放棄して、知事なり、首相なり、リーダーに委任しようとする。

たしかに、もしも私たちが所属する組織のリーダーが、とくに国家のリーダーがこれまで構成員に情報を隠すことなく提示してきたならば、そのデータに基づいて構成員自身が行動を選ぶこともできよう。異論に対して寛容なリーダーであれば、より創造的な解決策を提案することもできるだろう。データを改竄したり部下に改竄を指示したりせず、きちんと後世に残す文書を尊重し、歴史を重視する組織であれば、ひょっとして死ななくてもよかったはずの命を救えるかもしれない。自分の過ちを部下に押し付けて逃げ去るようなそんなリーダーが中枢にいない国であれば、ウイルスとの戦いの最前線に立っている人たち、たとえば看護師や介護士や保育士や接客業の不安を最大限除去することもできよう。危機の状況にも臨機応変に記者の質問に対応し少数意見を弾圧しないリーダーを私たちが選んでいれば、納得して人びとは行動を起こせる。「人類の叡智」を磨くために、「有事」に全く役に立たない買い物をアメリカから強制されるのではなく、研究教育予算に税金を費やすことを使命と考えてきた政府であれば、パンデミックに対して少なくともマイナスにはならない科学的政策を提言できるだろう。

ところが、残念ながら日本政府は、あるいはそれに類する海外の政府は、これまでの私たちが述べてきた無数の批判に耳を閉ざしたまま、上記の条件を満たす努力をすべて怠ってきた。そんな政府に希望を抱くことで救われる可能性は、『週刊文春』の三月二六日号に掲載された「最後は下部のしっぽが切られる」「なんて世の中だ」という自死寸前の赤木俊夫さんの震える手で書かれた文字群によって、また現在の国会での政府中枢の驚くべき緩慢な言葉によっても、粉々に打ち砕かれている。この政権がまだ四五・五パーセントの支持率を得ているという驚異的な事実自体がさらに事態を悪くしている（共同通信社世論調査。二〇二〇年三月二八日配信）。その上、「緊急事態宣言」を出し、基本的人権を制限する権能を、よりにもよって国会はこの内閣に与えてしまった。為政者が、国民の生命の保護という目的を超えて、自分の都合のよいようにこの手の宣言を利用した事例は世界史にあふれている。どれほどの愚鈍さを身につければ、この政府のもとで危機を迎えた事実を、楽観的に受け止めることができるだろうか。

### 3　家庭に希望を託せるか

第二に、家庭。

国が頼りなければ、家庭に生死を決める重荷がのしかかってくる。家族ほど近くて頼れて安心できる存在はない。「濃厚接触」は免れないから運命共同体とさえいえる。しかし、在宅の仕事が難しい親は、小学生の子どもを家に置いていかなくてはならない。その不安と罪悪感と闘わなくてはならない。不況による解雇も増えている。遠くに住む老いた両親に手伝いに来てもらうにも、感染リスクに晒されながらの長旅は正直心配だ。結局、経済基盤も育児環境も改善しない。家庭が安全であるという保証もない。

そもそも、子どもにとって家庭は安全な存在だろうか。あるべきかどうかではない。そうなのかどうか、である。日本は、七人に一人の子どもが貧困状態にある国である。経済状況の差をここまで広げた政策のつけは、こういう危機の時代に回ってくる。私は、『給食の歴史』で、高度経済成長期でさえ給食で一日の重要な栄養をとって食いつないできた子どもたちが多数いたことを書いた。まさに、現在は、子どもたちの最後の生命線が絶たれているとさえいえるのだ。

たとえ、三食最低限のご飯が食べられている家庭でも、危険はまだ残っている。『クーリエ・ジャポン』(三月二九日配信)によると、「(クリストフ・カスタネール内相は)三月一七日の外出禁止令以降、家庭内暴力が増加した可能性があることを認めた。パリ警視庁管轄の地域では一週間で三二パーセント、憲兵管轄の地域では三六パーセントほど、家庭内暴力が増加したという」。これはすでに女性への家庭内暴力が社会現象となっていたフランスだけの問題ではない。日本でも、普段は長時間一緒に滞在しない家族の成員が同じ屋根の下で過ごすことで、なんとなく気まずい空気が流れている家は少なくないだろう。普段虐待を受けている子どもにとって、家庭はますます逃げがたい牢獄となるだろう。子どもだけではない。配偶者、とくに夫の家庭内暴力を受けてきた妻には、外出が難しいこの現状は文字通り牢獄にほかならない。今後、感染したことで家族の成員が欠けることも十分に考えられる。家族が機能不全になったら地域に頼るしかない。しかし、不運なことに、そもそも社会的に弱い立場にある人を支える場所が、新型コロナウイルスの影響で機能が低下したり、機能不全に陥ったりしている。地域の活動の場所であるPTAも自治会もNPOも、飛沫感染が恐れられるなか、活発な援助に手を出しにくい。子ども食堂も学校給食もほとんど閉鎖され、子どもたちの腹と心の寂しさを誰も満たしてくれない。

しかも現時点で、近年頻発する水害や地震のような大災害が起こったならば、地域の避難所は間違いなく感染の温床となってしまうだろう。ゆえに、現時点で各地方自治体は、災害時の避難の対応について早急にガイドラインを作成すべきである。

## 4　スペイン風邪と新型コロナウイルス

新型コロナウイルスの活動が鎮静ではなく、拡散の方向に向かっているいま、希望的観測から頼りうる指針を選別していくため参考にすべき歴史的事件は、SARSやエボラ出血熱よりも「スペイン風邪」、すなわち、スパニッシュ・インフルエンザだと私は考える。百年前のパンデミックである。アメリカを震源とするこのインフルエンザの災いは、戦争中の情報統制で中立国だったスペインからインフルエンザの情報が広まったため、スペイン人にとっては濡れ衣にほかならない名前が歴史の名称となった。一九一八年から一九二〇年まで足掛け三年かけて、三度の流行を繰り返し、世界中で少なく見積もっても四八〇〇万人、多く見積もって一億人の命を奪い（山本太郎『感染症と文明——共生への道』）、世界中の人びとを恐怖のどん底に陥れた。そのわりに教科書でも諸歴史学会でもほとんど取り上げられなかった世界史の一コマである。私は、第一次世界大戦期ドイツの飢餓について研究を進めていく過程で（『カブラの冬——第一次世界大戦期ドイツの飢饉と民衆』）、多くの民間人をも苦しめたスパニッシュ・インフルエンザについて調べたことがあるが、現状のパンデミックと似ている点が少なくないことに気づく。どちらもウイルスが原因であり、どちらも国を選ばず、どちらも地球規模で、どちらも巨大な船で人が集団感染して亡くなり、どちらも初動に失敗し、どちらもデマが飛び、どちらも著名人が多数死に、どちらも発生当時の状況が似ている。

ただ、当時は、インフルエンザのウイルスを分離する技術が十分に確立されておらず、医療技術的には現在の方が有利、地球人口が一七億程度だった当時と、七七億人まで増えた現在とでは過去の方が有利だ。新聞以外にSNSも含め多くのメディアが必要・不必要にかかわらず情報を大量に発信しているのも現在の特徴であり、正直、どちらに転ぶかわからない。百年前はＷＨＯも存在しなかったので、本来であれば現在の方が有利だと思いたいけれど、なかなかそう思いづらいのは報道の通りである。

百年前の日本はちょうど米騒動とシベリア戦争（シベリア出兵）の時代である。当時、アジアもヨーロッパも北米大陸にも、それ以前にはあり得ないほどの人の移動があった。第一次世界大戦の真っ只中だったからである。すでに一九一八年の春からインフルエンザが流行っていたアメリカから、多数の若い男たちが輸送船に乗ってヨーロッパにわたっていた。換気が悪く、人口密度が高い船内でどんどん感染が広がり、健康そのものだった若者が次々に死んでいった。ヨーロッパにはアジアからも多くの人たちが労働者として雇われていた。植民地である仏領インドシナからはフランスへ、インドやビルマからはイギリスへ、中国からは苦力《クーリー》が多数ヨーロッパに上陸していた（東南アジアの第一次世界大戦については、早瀬晋三『マンダラ国家から国民国家へ——東南アジア史のなかの第一次世界大戦』）。やがて、アジアにも感染は拡大し、日本でも約四〇万人前後が亡くなったと言われている。

インフルエンザがここまで世界に広がり、多くの兵士たちが死んでいった理由として、戦争中の衛生状態や栄養状態が考えられた。環境史家のアルフレッド・Ｗ・クロスビーによれば、兵士は、体調不良を感じても衛生的に悪い条件で無理して作業に従事するため、悪化しやすく、感染しやすかったという。銃後は食糧不足に悩んでおり、やはりインフルエンザ・ウイルスの格好の餌食となった。しかも当時兵士たちを悩ませていた一つが虫歯だったことを考えれば(Rachel Duffett, *The Stomach for Fighting: Food and the Soldiers of the Great War*)、ウイルスの主な生存場所である口腔の衛生状態は相当に悪かっただろう。

だからといって、いま現在、世界規模で繰り広げられるような戦争がないことを寿ぐことはできない。ここ十年の人の移動の激しさは当時の比ではない。その最大の現象は昨今のオーバーツーリズムである。かつての兵士はいまのツーリストである。船ではなく飛行機で動くツーリストたちの動きは、頻度と量が桁違いだ。それが今回の特徴である。

## 5 スペイン風邪の教訓

スパニッシュ・インフルエンザの過去は、現在を生きる私たちに対して教訓を提示している。クロスビー『史上最悪のインフルエンザ——忘れられたパンデミック』を参考にしつつ、まとめてみたい。

第一に、感染症の流行は一回では終わらない可能性があること。スパニッシュ・インフルエンザでは「舞い戻り」があり、三回の波があったこと。一回目は四カ月で世界を一周したこと。一回目よりも二回目が、致死率が高かったこと。新型コロナウイルスの場合も、感染者の数が少なくなったとしても絶対に油断してはいけないこと。ウイルスは変異をする。弱毒性のウイルスに対して淘汰圧が加われば、毒を強めたウイルスが繁殖する可能性もある。なぜ、一回の波でこのパンデミックが終わると政治家やマスコミが考えるのか私にはわからない。ちょっと現代史を勉強すればわかる通り、来年の東京五輪が開催できる保証はどこにもない。

第二に、体調が悪いと感じたとき、無理をしたり、無理をさせたりすることが、スパニッシュ・インフルエンザの蔓延をより広げ、より病状を悪化させたこと。何より、軍隊組織に属する兵士たちの衛生状況や、異議申し立てができない状況を考えてみるとわかる。過労死や自殺者さえも生み出す日本の職場の体質は、この点、マイナスにしか働かない。

第三に、医療従事者に対するケアがおろそかになってはならない。スパニッシュ・インフルエンザを生きのびた人たちの多くが、医師や看護師たちの献身的な看病で助けられたと述懐している。目の前の患者の命がかかっている場合、これらの人たちは、多少自分が無理しても助けようとすることが多いことは容易に想像できよう。しかし、いうまでもなく、日本の看護師たちは低く定められた賃金のままで、体を張って最前線でウイルスと戦っていることを忘れてはならない。世界現代史は一度だって看護師などのケアの従事者に借りを返したことはないのである。

第四に、政府が戦争遂行のために世界への情報提供を制限し、マスコミもそれにしたがっていたこと。これは、スパニッシュ・インフルエンザの爆発的流行を促進した大きな原因である。

情報の開示は素早い分析をもたらし、事前に感染要因を包囲することができる。

第五に、スパニッシュ・インフルエンザは、第一次世界大戦の死者数よりも多くの死者を出したにもかかわらず、後年の歴史叙述からも、人びとの記憶からも消えてしまったこと。それゆえに、歴史的な検証が十分になされなかったこと。新型コロナウイルスが収束した後の世界でも同じことにならぬよう、きちんとデータを残し、歴史的に検証できるようにしなければならない。とくにスパニッシュ・インフルエンザがそうであったように、危機脱出後、この危機を乗り越えたことを手柄にして権力や利益を手に入れようとする輩が増えるだろう。醜い勝利イヴェントが簇生するのは目に見えている。だが、ウイルスに対する「勝利」はそう簡単にできるのだろうか。人類は、農耕と牧畜と定住を始め、都市を建設して以来、ウイルスとは共生していくしかない運命にあるのだから(たとえば、ジェームズ・C・スコット『反穀物の人類史』)。もしも顕彰されるとすれば、それは医療従事者やケースワーカーの献身的な働きぶりに対してである。

第六に、政府も民衆も、しばしば感情によって理性が曇らされること。百年前、興味深い事例があった。「合衆国公衆衛生局は、秋のパンデミック第二波の真っ只中、ほかにやるべき大事なことが山ほどあったにもかかわらず、バイエル社のアスピリン錠の検査をさせられていた」。これは、「一九一八年当時の反ドイツ感情の狂信的なまでの高まり」が、変な噂、つまり、ドイツのバイエル社が製造していたアスピリンにインフルエンザの病原菌が混ぜられて売られているという噂が広まっていたためである(クロスビー、前掲書)。

現在も、疑心暗鬼が人びとの心底に沈む差別意識を目覚めさせている。これまで世界が差別ととことん戦ってきたならば、こんなときに「コロナウイルスをばら撒く中国人はお断り」というような発言や欧米でのアジア人差別を減少させることができただろう。あるいは、政治家たちがこのような差別意識から自由な人間だったら、きっと危機の時代でも、人間としての最低限の品性を失うことはなかっただろう。そしてこの品性の喪失は、パンデミック鎮静化のための国際的な協力を邪魔する。

第七に、アメリカでは清掃業者がインフルエンザにかかり、ゴミ収集車が動けなくなり、町中にゴミがたまったこと。もちろん、それは都市の衛生状況を悪化させること。医療崩壊ももちろん避けたいが、清掃崩壊も危険であること。

第八に、為政者や官僚にも感染者が増え、行政手続きが滞る可能性があること。たとえば、当時のアメリカの大統領ウッドロウ・ウィルソンも感染者の一人である。彼が英仏伊と四カ国対談の最中に三九・四度の発熱で倒れ、病院に入院している間、会議の流れが大きく変わり、ドイツへの懲罰的なヴェルサイユ条約の方向性が決まってしまった。

## 6 クリオの審判

さらにいえば、新型コロナウイルスが鎮静化すれば危機が去ったと言うことはできない。実は、本当に怖いのはウイルスではなく、ウイルスに怯える人間だ。ドイツの首相アンゲラ・メルケルは三月一八日の演説で、日本の首相とは異なり、基本的人権を制限することの痛みと例外性を強調した。東ドイツ出身の彼女にとって、移動と旅行の自由は苦労してやっと得たものだった。だが、これが例外でありつづけるのかどうか、私は大いに疑問である。今回のパンデミックは人びとの認識を大きく変えるだろう。人びとの不測の事態に対するリスクへの恐怖が高まり、ビッグデータの保持と処理を背景とした個別生体管理型の権威国家や自国中心主義的なナルシズム国家がモデルとなるかもしれない。歴史学者のユヴァル・ノア・ハラリは、三月一五日付の『TIME』誌に投稿した文章の中で新型コロナウイルスの後は、EU理念の復活のチャンスになりうるという希望的観測を慎重に抽出しているが、私は上記の理由から、逆に価値が暴落する可能性も考えている。また、ハラリは、コロナウイルスの対応において、各国の遮断ではなく協力を呼びかけており、それには全面的に賛成するが、それにしても自国中心主義に溺れる国家が国際社会には溢れすぎている。こうして、世界の秩序と民主主義国家は本格的な衰退を見せていくのかもしれない。すでにパンデミック以前から進行していたように。

または、ハラリは述べていないが、新型コロナウイルスを「滅菌」するための消毒サービスが流行して、恐怖鎮静化商品の市場価値が生み出され、人びとが、ただでさえ蔓延していた潔癖主義に取り憑かれ、人間にとって有用な細菌やウイルスまで絶滅の危機、それによる体内微生物相の弱体化、そして免疫系統への悪影響に晒されるかもしれない。第一次世界大戦後、毒ガスの民需転用で殺虫剤商品が増えていくが（その一つがユダヤ人虐殺に用いられたツィクロンBである）、これが公共交通機関や公共施設の消毒に用いられたのは、おそらくインフルエンザが猛威を振るったこととも関係しているだろう（拙著『戦争と農業』）。

消毒文化の弊害については、さしあたり、マーティン・J・ブレイザー『失われてゆく、我々の内なる細菌』が参考になるだろう。そうして、ある特定のウイルスを体内に長年共生させ、他の病原菌から人間が守られるような状況になる可能性を失っていくかもしれない。潔癖主義が人種主義と結びつくと、ナチスの事例に見られるようにさらに厄介である（H・P・ブロイエル『ナチ・ドイツ 清潔な帝国』）。

このように、悪いことはいくらでも想像できる。しかし、世界史の住人たちは一度として、危機の反省から、危機を繰り返さないための未来への指針を生み出したことがない。世界史で流された血の染み付いたバトンを握る私たちは、今回こそは、今後使いものになる指針めいたことを探ることはできないだろうか。

第一に、うがい、手洗い、歯磨き、洗顔、換気、入浴、食事、清掃、睡眠という日常の習慣を、誰もが誰からも奪ってはならないこと。あたりまえだ、という反応が返ってきそうだが、歴史が我々に教えているのはむしろ、戦争とそのための船上および鉄道での移動がこのあたりまえの習慣を困難にしたことである。人間を不衛生な場所に収容・監禁することがこれを困難にしてきた歴史も、私たちは知っている。仕事が忙しくても、仕事中に上記の基本的な予防（たとえば昼休みにも歯磨きをすることや共有のゴミ箱やトイレを丁寧に使うこと）を部下が実践することを、上司が止めず、上司もみずから進んでやること。よく食べ、よく笑い、よく寝る、という免疫力をつける重要な行為が、これまで仕事よりもあまり重視されなかったことを反省してみてもよい。

第二に、組織内、家庭内での暴力や理不尽な命令に対し、組織や家庭から逃れたり異議申し立てをしたりすることをいっさい自粛しないこと、なにより、自粛させないこと。その受け皿を地方自治体は早急に準備すること。総力戦体制だから「城内平和Burgfrieden」（第一次世界大戦時にドイツで唱えられたスローガン）でいきましょう、というのが、二〇世紀の歴史の常道だったが、異議申し立ての抑制こそが、かえって新型コロナウイルスによる被害を増大させるだろう。フランス大統領のエマニュエル・マクロンは三月一六日のテレビ演説で「我々は戦争状態にある」と繰り返し、アメリカ大統領のドナルド・トランプもみずからを「戦時下の大統領」

と呼んで憚らないが、この言葉は諸刃の剣である。緊急性を高めることのみならず、異論を弾圧することにも極めて効果的な言葉だからだ。

第三に、戦争にせよ、五輪にせよ、万博にせよ、災害や感染などで簡単に中止や延期ができないイベントに国家が精魂を費やすことは、税金のみならず、時間の大きな損失となること。どのイベントも、その基本的な精神に立ち戻り、シンプルな運営に戻ること。とくに、日本のような災害多発列島はいつキャンセルしても対応可能な運営が望まれる。

第四に、現在の経済のグローバル化の陰で戦争のような生活を送ってきた人たちにとって、新型肺炎の飛沫感染の危機がどのような意味を持つのか考えること。危機は、生活がいつも危機にある人びとにとっては日常である、というあたりまえの事実を私たちは忘れがちである。いつ落ちてくるかわからない戦闘機に毎日さらされている基地周辺に住む人びとにとって、爆音で神経が参ってしまうリスクや事故に遭うリスクは、新型コロナウイルスに感染するリスクよりも低いだろうか。原発事故によって放射性物質にさらされ、いまだに避難中の人びとにとって、病気になるリスクは、新型コロナウイルスに感染するリスクよりも低いだろうか。上司の嫌がらせを受けながら働く人間にとって、過労死や自殺やうつ病になるリスクは、新型肺炎で死ぬリスクよりも低いだろうか。ホームレスが病気を患っている可能性は、新型コロナウイルスに感染する可能性よりも低いだろうか。派遣労働者として働いているシングルマザーにとって、体を崩して子どもに負担をかける怖さは、新型コロナウイルスの怖さよりも小さいだろうか。学校に馴染めない子どもたちが学校によって傷つくリスクは、この子たちに新型肺炎が発症するリスクよりも低いだろうか。権力を握る者たちは、毎日危機に人びとを晒してきたことを忘れているのだろうか。なにより、新型コロナウイルスが、こういった弱い立場に追いやられている人たちにこそ、甚大かつ長期的な影響を及ぼすという予測は、現代史を振り返っても十分にありうる。

第五に、危機の時代に情報を正しく伝えねばならない立場にあるにもかかわらず、情報を抑制したり、情報を的確に伝えなかったりする人たちに異議申し立てをやめないこと。台湾の保健省大臣のように、体力的にも知能的にも、何時間でもどんな質疑が来ても誠実に応答できる人間だけが、政治を担うことができる。また、インターネット上の新聞記事は、個人の生命に関わる重要な記事にもかかわらず、有料が多い。情報の制限が一人の救えたかもしれない命を消すこともあるのだ。せめて新型コロナウイルスに関する記事だけでも無料で配信するのが、メディアの社会的責任である。

日本は、各国と同様に、歴史の女神クリオによって試されている。果たして日本はパンデミック後も生き残るに値する国家なのかどうかを。クリオが審判を下す材料は何だろうか。危機の時期に生まれる学術や芸術も指標の一つであり、学術や芸術の飛躍はおそらく各国で見られるだろうが、それは究極的には重要な指標ではない。死者数の少なさも、最終的な判断の材料からは外れる。試されるのは、すでに述べてきたように、いかに、人間価値の値切りと切り捨てに抗うかである。いかに、感情に曇らされて、フラストレーションを「魔女」狩りや「弱いもの」への攻撃で晴らすような野蛮に打ち勝つか、である。

武漢で封鎖の日々を日記に綴って公開した作家、方方は、「一つの国が文明国家であるかどうか[の]基準は、高層ビルが多いとか、クルマが疾走しているとか、武器が進んでいるとか、軍隊が強いとか、科学技術が発達しているとか、芸術が多彩とか、さらに、派手なイベントができるとか、花火が豪華絢爛とか、おカネの力で世界を豪遊し、世界中のものを買いあさるとか、決してそうしたことがすべてではない。基準はただ一つしかない、それは弱者に接する態度である」(日本語訳は日中福祉プランニングの王青)と喝破した。

この危機の時代だからこそ、危機の皺寄せがくる人びとのためにどれほどの対策を練ることができるか、という方方の試金石にはさらなる補足があってもよいだろう。危機の時代は、これまで隠されていた人間の卑しさと日常の危機を顕在化させる。危機以前からコロナウイルスにも匹敵する脅威に、もう嫌になるほどさらされてきた人びとのために、どれほど力を尽くし、パンデミック後も尽くし続ける覚悟があるのか。皆が石を投げる人間に考えもせずに一緒になって石を投げる卑しさを、どこまで抑えることができるのか。これがクリオの判断材料にほかならない。「しっぽ」の切り捨てと責任の押し付けでウイルスを「制圧」したと奢る国家は、パンデミック後の世界では、もはや恥ずかしさのあまり崩れ落ちていくだろう。

＊本稿の初出は、岩波新書のウエブサイト「B面の岩波新書」二〇二〇年四月二日配信。なお、同サイトで、本稿の英語版も読めます。

●参考文献

王青「武漢から新型コロナ禍を発信して読者一億超、当局の削除にも屈しない「方方日記」とは」『DIAMOND online』(二〇二〇年三月六日配信)
アルフレッド・W・クロスビー『史上最悪のインフルエンザ――忘れられたパンデミック』西村秀一訳、みすず書房、二〇〇四年
ジェームズ・C・スコット『反穀物の人類史――国家誕生のディープヒストリー』立木勝訳、みすず書房、二〇一九年
早瀬晋三『マンダラ国家から国民国家へ――東南アジア史のなかの第一次世界大戦』人文書院、二〇一二年
藤原辰史『カブラの冬――第一次世界大戦期ドイツの飢饉と民衆』人文書院、二〇一一年
藤原辰史『戦争と農業』集英社インターナショナル新書、二〇一七年
藤原辰史『給食の歴史』岩波新書、二〇一八年
マーティン・J・ブレイザー『失われてゆく、我々の内なる細菌』山本太郎訳、みすず書房、二〇一五

年
H・P・ブロイエル『ナチ・ドイツ 清潔な帝国』大島かおり訳、人文書院、一九八三年
山本太郎『感染症と文明――共生への道』岩波新書、二〇一一年
「コロナウイルス対策についてのメルケル独首相の演説全文」(二〇二〇年三月一八日)Mikako Hayashi-Husel 訳
「逃げられない、連絡できない-女性団体も警告 外出禁止令のフランスで急増するDV-政府が対策を発表」『クーリエ・ジャポン』(三月二九日配信)
Rachel Duffett, *The Stomach for Fighting: Food and the Soldiers of the Great War*, Manchester University Press, 2012.
Yuval Noah Harari, In the Battle Against Coronavirus, Humanity Lacks Leadership, in: *Time* on 15 March 2020.

ふじはら たつし 一九七六年北海道生まれ、島根県奥出雲町出身。京都大学人文科学研究所准教授。専門は農業史。『給食の歴史』『分解の哲学』『トラクターの世界史』など。

# 教育と学術の在り方の再考を

北原和夫

## はじめに

今回のコロナ禍の中にあって、私自身は体調が万全ではないこともあり、外出を控えて感染しないようにしている。やっと日々の感染者数の減少で少し明るい感じが見えてきたが、まだ第二波、第三波の到来が予想されている。この数カ月の経験によって、感染拡大のずっと前から世の中が次第に異常な状態になってきていて、そこにコロナ禍が必然的に起こったように思うのである。

異常さというのは、異常なほどの大量のモノとヒトが日々移動している世界であること、そして現代の経済が借り物で動いていること、この二つである。

一方でITが今回大きなバックアップとなったことも重要な発見であった。オンラインでの業務、教育の可能性があったことが、社会の壊滅的崩壊を防いだことも事実である。今後、リスクへの対応を確かなものとするために、ＩＴのさらなる開発と普及が重要と思われる。もちろん、その限界と弊害をわきまえることも重要であるが。

## モノとヒトが大量に動いている世界の現状

今世紀のはじめ頃、スーツを近くの百貨店で発注したことがあった。寸法をとって材質を選ぶ。出来上がりは二週間ほど。完成品が中国から届くまでの時間というのである。そこで初めて、日本では仕立屋さんがスーツを作るのではなく、寸法と材質が決まれば中国で裁縫をするということを知った。電化製品を含めて様々な規格品が made in China であることは知っていたが、個々の注文品もそうなのである。そのための輸送の燃料費や手間をかけても、利潤は得られるということなのである。しかし考えてみると、中国から日本に航空機で輸送するとすれば、二酸化炭素を大気中に撒き散らすことになり、地球への負荷をかけることになるわけで、不自然な感じがして、こんな経済のあり方はいつか破綻するのではないかと思ったのである。

一九八〇年代に中国や東南アジアから留学生が増えてきた時期があり、大学教師として留学生と親しく接していたので、彼らが帰国して数年後、バンコクでの物理学の国際会議に招かれた際に、その元留学生の一人に会う機会があった。彼は日本の工場の部品を作る会社の社長になっていた。彼の案内で工場とその周辺を見学して分かったことは、そのような日本向けの部品工場がどんどん作られていて、郊外に広がっていたのであった。中国に出かける機会はあまりなかったが、中国における産業の変化は、おそらくもっと急激で大規模であったのではないかと推測する。

昨年暮れから武漢でコロナウィルス感染が急激に拡大して、モノの移動が完全に止まってしまうと、日本では部品の輸入が滞って工場が動かなくなってしまった。その後、日本自体がコロナウィルスの感染に襲われて、生産がストップしてしまった。また感染の拡大によってマスクの需要が急増したとき、日本で使われているマスクの大半が中国で生産されて輸入されたものであることが分かり、世界的なマスクの需要の急増の中で、供給についての不安感が一時的に強まったことがある。

大量のモノが動くことによって、小動物(ヒアリなど)が貨物に紛れて世界中に外来種として広がって人間社会や生態系に脅威となっていることも、ここ数年大きな話題である。

さらにヒトも大量に長距離にわたって動いている。コロナウィルスは、多数の旅行者が飛行機で旅行することで、短期間に全世界に広がったと思われる。人類学者によれば、二〇万年ほど前にアフリカに生まれたホモ・サピエンスが長い時間をかけて全世界に広がって南米南端に達したのがやっと紀元前一万年頃であったと言われている。[1] 現代ではそれが数日で達成されるのである。したがって、ウィルスの新しい種に感染した人々が世界中に広がっていくことで、遠く離れた免疫も何もない人々に感染が拡大してしまう。そのような世界に我々は生きている。

一方、『ニューズウィーク』誌(2)によると、モノとヒトの移動が減少したおかげで、大気中の二酸化炭素、窒素化合物が減少して環境の持続性にむしろ希望を与えるものとなったとのことである。自動車の排気ガスの減少だけでなく、おそらく航空機の減便も大気汚染を緩和したのであろう。

## 借り物で動いている経済

コロナ禍で見えてきたもう一つの状況は、日本の経済が賃料と借金という借り物の連鎖で動いているということである。感染拡大を防ぐために、多くの飲食店などが休業もしくは短時間営業で苦境に立たされている。なぜ苦境かというと、もちろん客が来なくなって収入ゼロということもあるが、店の賃料が重くのしかかっているというのである。賃料は、営業利益が有る無しにかかわらず負担となってくる。聞くところによると、家主さん自身もまた資産の維持や建設で借金を抱えているという。つまり、事業で得た儲けが利潤なのではなく、事業で得た儲けから賃料や借金を引いたものが利潤となる仕組みなので、儲けがなくなればマイナスの出費となるということなのである。古典的な考え方からすると、事業を行って儲けが出たらそれを使って事業を拡大するのであれば、儲けがゼロでもそれ以上に負債が増えることはない。ところが現代では、負債の連鎖の中で事業が行われているということなのだ。いわば綱渡りで物事が動いている。そうなると、失われた事業の儲けを補塡するというだけでなく、賃料や借金という負債に対しても公的機関が支援しないと経済が破綻するという仕組みになってきているのである。

都心の建築ラッシュはいまものすごく、新しいオフィスビルがどんどん建っている。おそらく都心のオフィス・スペースの需要が大きいからであろう。賃料は相当なものだと思われる。そのオフィスビルに拠点をおく会社が、想定外のことで不振になったら、たちまち多額な賃料が負担となって経営が傾くのではないだろうか。今回のコロナ禍で、多くの会社がオンラインで業務をするようになって、事務スペースを減らして、賃料負担を減らそうとしているとのことである。実際、在宅勤務がかえって業務の効率をあげるということも業種によって確認されてきている。在宅勤務増加の傾向が続けば、オフィスビルが過剰となり、オフィスビルを所有する会社がまた経営難に陥るということが起こるかも知れない。借り物を使ってひたすら利潤を求めてきている経済システムは極めて危ういのではないか。賃料や借金という借り物で動いていることの裏面が、このコロナ禍によって見えてきたように私には思われるのである。

## コロナ対策は証拠に基づく政策(evidence-based policy)であったのか

二〇〇〇年頃だったと思われるが、狂牛病が世界的に蔓延したとき、多くの国ではサンプリングの調査を行って、そこで感染した牛が見つからなければ安全としていたとき、日本政府は全頭検査を実施したのであった。それは牛肉の安全性を完璧にするという考え方であったと思われる。ところが、今回のコロナ禍においては、まずＰＣＲ検査に対してハードルを設けた。かつて牛には全頭検査をしながら、人には全員検査をしないという政策に、私は違和感を覚えた。

実はフランスに留学していた知人が三月中旬に直航便で帰国したのであるが、羽田の検疫を通るとき、フランスの状況を説明して検査を願い出たところ、イタリアに滞在したことがない旅客は検査の対象外であるとして検査から外されたのであった。当時は、もちろんイタリアの北部は惨憺たる状況であったが、フランスを含めて全欧州に感染が広がっていたのであって、その一週間後には、基本的に欧州との空路は閉鎖されたのである。そのような危機的状況においても、日本の検疫が極めて限定的であったために、感染者の入国を防ぎきれなかった面があった。

国内では、当初からクラスターの可能性を潰すという方針によって、ＰＣＲ検査は限定的であったため、多くの人々は自分がウィルスに感染しているのかどうか不明なまま、不安を抱えて生活をしていたのである。もし感染者と非感染者が区別できていれば、感染者に治療や隔離を実施し、残る人々は経済活動を継続するという政策も可能であったし、また早めの検査がなされていたら、重症化して死に至った人々をかなり救えたのではないかと思う。

実際には、PCR検査の体制が日本では備わっていなかったとも言われている。様々な大学や研究機関の力も借りて広くPCR検査をして状況を把握した上、証拠に基づく政策を立てていれば、状況は変わっていたかも知れない。

不安感の高まる中で、全国の初等中等学校に対して政府から急に休校の要請が出て、子どもたちの教育権(憲法第二六条で保障されている権利なのだが)が奪われることが起こった。学習のフォローアップの具体策はそれぞれの学校と地方自治体に任されることとなった。

一方、地方自治体や学会、大学、医師会などが自主的に動くようになったことも、今回の事態の特質とも言える。医学関係者が、主体的に情報発信をし、また行動したのであった。(3) 多様な組織や個人が、状況を確認しながら、弱者の救済のために知恵と力を出し合う社会の構築が大切であることを今回私たちは学んだのだと思う。

## ではどうすべきか——歴史を学ぶこと

結論からいうと、歴史を学んで現代に関わるべきである。歴史とは何かについて、米国の歴史学者 Lepore が "The Story of America"(4) という本の序論のところで、「History is the art of making an argument about the past by telling a story accountable to evidence.（歴史とは証拠を説明できる物語を語ることによって、過去について論証を行うわざである。）」と述べている。そこで重要な概念は「証拠」、「論証」、「物語」である。過去について確かな証拠から論証を行って物語を語ることによって、現在をも物語ることができる。歴史を学ぶことによってこの「わざ」を身につけることが大切だというのである。コロナ禍は想像を超えることであったかも知れないが、現代のモノとヒトの移動の異常さ、そして賃料や借金という借り物で動いている経済の綱渡りの状況に気付いたときに、歴史を学んで獲得した「わざ」によって証拠と論証をもって現代の課題を認識することが可能であったのではないだろうか。今後はそのような「わざ」を開発するような教育が求められるのである。

二〇一七年秋に大学教育の質保証に関するプロジェクト(5)で、米国歴史学会を訪問して、米国における歴史学教育の在り方についての見解を伺う機会を得た。同学会ではレポートを出版していて、「歴史学を学ぶ学生が獲得すべき基本的能力(core competencies)と学習成果(learning outcomes)とは、「歴史的知識をもって歴史の論証(argument)と語り(narratives)を行うことだ」としている。(6)

日本学術会議においても、文科省の審議依頼を受けて、大学教育の質保証の在り方の検討を二〇〇八年から行い、二〇一〇年に「回答　大学教育の分野別質保証の在り方について」(7)を取りまとめて公表した。その中で、それぞれの学問分野の学びの意義、獲得すべき基本的能力等を提示する「分野別参照基準」の策定の必要性を提案し、二〇一〇年からそれらの策定作業に取り掛かった。二〇一九年度までに三二分野について「参照基準」の策定を終えたところである。二〇一四年に公表した「歴史学分野の参照基準」(8)では歴史学の特性を以下のように記述している。「歴史認識が主体的であると同時に「科学的」なものであるためには、史資料の扱いも「科学的」でなければならない。〔略〕歴史における「科学性」とは、究極的には、人間としての了解可能性ということができるであろう」。つまり個を超えて互いに了解できる明晰性をもつことを歴史学における「科学性」として提案している。

広く学問を俯瞰してみると、物理学のように具体的なものを抽象化することによって、自然現象の中にある基本法則を見出してきた学問がある一方で、全ての要因が複雑に絡み合って現実に起こっている事柄そのものを認識しようとする学問がある。後者においては、証拠をつなぎ合わせて論証することによって、物語を構築していくのであり、物語によって我々はまだ経験したことのない未来をも物語ることができる。

証拠と論証をもって物語を構築し、経験していない未来を語るためには想像力が重要となる。そのためにも、藝術が学術の中に位置づけられる必要があると私は考えているが、前述の日本学術会議が策定した分野別「参照基準」には、藝術分野は含まれていない。英国においては、各分野の学びによって獲得される基本的能力と学習成果を明示するSubject Benchmark Statementsのなかに、「音楽」[9]や「舞踏・演劇・パフォーマンス」[10]という分野が含まれていて、藝術が学術の中に位置づけられているのである。現在の「コロナ禍」の状況の中で、経済的困窮の救済が政治的課題となっている反面、藝術活動のことが脇に置かれているように思われる。しかしこのことは、人類の英知の将来にとって極めて深刻な問題である。[11]

## 藝術の役割

## 教育と学術の将来に向けて

今後、学術界、そして高等教育(その基盤としての初等中等教育)において、人類の将来のためにどのような学術をどのように継承していくか、つまり、教育の大目標なるものを議論して意識していくことを、「コロナ禍」は求めているのではないだろうか。

また、リスクへの対応、あるいはリスクコミュニケーションといったことを、今後の大学の教育の中に位置づけるようなことも考えて欲しいと思う。実際、文科省は二〇一七年には「リスクコミュニケーション案内」(12)というテキストを刊行しているのであり、大いに参考となる。

歴史に学ぶことの意義について、一九六八年の大学紛争の頃であるが、大塚久雄先生のお話を聞く機会があった。おおよその内容は、先生の書かれたエッセイ「現代日本の社会における人間的状況」(13)に重なるものであった。マックス・ウェーバーの「プロテスタンティズムの倫理と資本主義の精神」を引用して、禁欲(Askese)が人々を動かして近代を創出したことを紹介し、「日本を含めて、あらゆる国において、一定の歴史的条件が存在する場合、禁欲は現在でも強烈な作用を及ぼす可能性を持っていると十分に想定される限り、そうした禁欲思想とその行動の一般的な経験法則をあらかじめ知っておくことが大切だ」と話されていた。高度成長が見え始め、ひたすら利潤を求めようとし始めていた当時の雰囲気を察して、新しい時代を担う精神は何かを私たち学生に伝えようとされたのである。

(1) Jared Diamond, "Guns, Germs and Steel", W. W. Norton & Company, 1999(『銃・病原菌・鉄』(上)(下)、倉骨彰訳、草思社文庫、二〇一二年), Chapter 1. なお Epilogue(最終章)で、歴史的科学(historical sciences)の可能性を論じている。

(2)ベンジャミン・フィアナウ「コロナ後の地球をまた大気汚染まみれに戻していいのか」『ニューズウィーク日本語版』二〇二〇年四月一三日。https://www.newsweekjapan.jp/stories/world/2020/04/post-93120.php
(3)山中伸弥「山中伸弥による新型コロナウイルス情報発信」(https://www.covid19-yamanaka.com)。島田眞路・荒神裕之「山梨大学における新型コロナウイルス感染症(COVID−19)との闘い(第六報)——日本の死亡者数はミラクルか?」、オピニオン、『医療維新』二〇二〇年五月二〇日。同「山梨大学における新型コロナウイルス感染症(COVID−19)との闘い(第五報)——PCR検査体制強化に今こそ大学が蜂起を!」、オピニオン、『医療維新』二〇二〇年四月二二日。
(4)Jill Lepore, "The Story of America: Essays on Origins", Princeton University Press, 2012
(5)二〇一七−二〇一九年度科研費基盤研究(B)「参照基準の利用状況を通した大学教育のカリキュラム改善に関する組織文脈的要因の考察」(研究代表者 北原和夫)。http://literacy.scri.co.jp/2020/05/13/
(6)American Historical Association, "History Discipline Core", 2016, https://www.historians.org/teaching-and-learning/why-study-history/careers-for-history-majors/history-discipline-core
(7)日本学術会議「回答 大学教育の分野別質保証の在り方について」二〇一〇年七月。http://www.scj.go.jp/ja/info/kohyo/pdf/kohyo-21-k100-1.pdf
(8)日本学術会議「報告 大学教育の分野別質保証のための教育課程編成上の参照基準 歴史学分野」二〇一四年九月。http://www.scj.go.jp/ja/info/kohyo/pdf/kohyo-22-h140909.pdf
(9)Subject Benchmark Statement Music, December 2019, QAA, https://www.qaa.ac.uk/docs/qaa/subjec

t-benchmark-statements/subject-benchmark-statement-music.pdf?sfvrsn=61e2cb81_4

(10)Subject Benchmark Statement Dance, Drama and Performance, December 2019, QAA, https://www.qaa.ac.uk/docs/qaa/subject-benchmark-statements/subject-benchmark-statement-dance-drama-and-performance.pdf?sfvrsn=32e2cb81_5

(11)平田オリザ「文化を守るために寛容さを」(インタビュー)、NHK『おはよう日本』二〇二〇年四月一七日。https://www.nhk.or.jp/ohayou/digest/2020/04/0422.html

(12)文部科学省「リスクコミュニケーション案内」二〇一七年三月。http://scri.co.jp/wp-content/uploads/2018/11/リスクコミュニケーション案内.pdf

(13)大塚久雄「現代日本の社会における人間的状況」『大塚久雄著作集』第八巻「近代化の人間的基礎」(岩波書店、一九六九年)。

きたはら かずお　一九四六年生まれ。東京工業大学名誉教授。国際基督教大学名誉教授。理論物理学(統計力学・熱力学)専攻。『プリゴジンの考えてきたこと』『非平衡系の統計力学』ほか。

高山義浩

# 新型コロナウイルスとの共存――感染症に強い社会へ

## 持ち込まれる感染症

今から二年前……二〇一八年三月のある深夜のこと。

沖縄観光に来ていた三〇代の台湾人男性が、発熱と発疹を訴えて救命救急センターを受診した。診察した救急医は、その臨床所見から麻疹《はしか》を疑って隔離した。鋭い判断だった。

翌朝、この患者を診察した私は、典型的な麻疹所見を認めながらも、すぐには信じられず、友人の台湾人医師にメールを送った。その彼の回答も「台湾は麻疹を排除している。昨年は輸入症例が一例だけだった。信じられない」というものだった。

日本語も英語も話さない台湾人男性だったので、問診には時間を要したが、つい最近までバンコクに滞在していたことが聞き出せた。やはり、麻疹の可能性が高いと考え、保健所にPCR検査を依頼したところ……なんと麻疹が確定した。

残念なことに、この台湾人男性は、発症してから受診するまでのあいだ、沖縄県内の各地を観光していた。その後、次々に二次感染者、三次感染者が発生し、私たちは県民に注意を呼びかけ、県内在住の乳幼児へと一斉にワクチンを追加接種した。封じ込めるべく力を注いだものの、終息するまでの二カ月間に、九九人もの感染者が報告されるに至ってしまった。死亡者や後遺症を残された方が出なかったのは幸いだったが……。

実は、沖縄では麻疹を警戒すべき事情がある。今でこそ多くの観光客が沖縄を訪れているが、もともとは孤立した静かな島であった。感染症は持ち込まれにくく、麻疹が持続的に流行するに十分な人口規模もない。沖縄本島はともかく、宮古、八重山、慶良間などの離島には、感染したことがない大人たちも少なくないと考えられるからだ。実際、このときの流行では、本土であれば稀な五〇代の感染者を二人認めている。

## 麻疹が人類に行き渡るまで

麻疹の起源は、文明の揺籃期にあったメソポタミア流域と考えられている。イヌあるいはウシに起源をもつウイルスが、ヒトとの共生(牧畜)とともに感染したようだ。やがて、ウイルスはヒトからヒトへと感染できるように変異し、都市をたどりながら流行しはじめた。紀元前三〇〇〇年頃のことである。

麻疹は、極めて感染力の強いウイルスだが、恒常的に流行するためには、数十万の人口規模が必要とされる。このため、限られた大都市にのみリザーブされ、ときどき農村や離島へと持ち込まれ、免疫のまったくない人々に壊滅的な被害をもたらした。

たとえば、一八七五年のフィジー諸島。

当時のフィジー諸島は、ザコンバウ国王が統治していた。六つの王国に分かれていたフィジーを統一した最初の国王であり、最後の国王である。アメリカ商人により借金まみれになって、国をイギリスに売り渡さざるをえなくなったという。

その国王と王子たちが、オーストラリアを公式訪問した際に、シドニーで麻疹に感染してしまった。フィジーへと戻る船内で、一行は麻疹の発生に気づいた。ところが、王室はそれを隠蔽しようとした。黄色い信号旗を掲げることなく、沖合で検疫停泊をすることもなく、そのまま母国へと上陸してしまったのだ。

それから三カ月の間に、麻疹はフィジー全域へと広がった。免疫もなく、十分な医療にもアクセスできない離島住民たちは、なすすべもなかったのだろう。大人も子どもも感染していき、人口一五万人のうち四万人が死亡してしまった。

麻疹が最後に大流行したのは、一九五一年のグリーンランドである。南部に住んでいた約四〇〇〇人のうち、わずか数十人だけが感染を免れた。これを最後に、人類社会における爆発的な麻疹流行は認めなくなった。メソポタミアの流行から実に五〇〇〇年を要した。麻疹ワクチンが開発されたのは、それから一〇年を経た一九六〇年代のことであった。

## 小児の初感染と集団免疫

人類の歴史は、感染症との闘いの歴史でもある。そのたびに多くの命が奪われたが、集団免疫をつけることで克服してきた。つまり、一定の人数が感染することで、流行しなくなるのを待つというものだ。

感染症疫学で扱われる数値に、基本再生産数(R0)というものがある。これは、「ある感染者が免疫のない集団に入ったときに直接感染させる平均人数」のことだ。そして、「集団の何%が免疫を獲得すれば収束していくか」という集団免疫率については、基本再生産数を用いて

(1-1/R0)×100

と導くことができる。

たとえば、麻疹の基本再生産数は12~18とされており、集団免疫率は九二~九四%と計算することができる。

麻疹ワクチンについて「子どもたちの接種率九五%を達成しよう」と呼びかけられるが、これは集団免疫率の計算により導かれたものだ。基礎疾患があったり、両親が懐疑的だったりし

て、ワクチンを接種できない子どももいるが、これらは五％までは容認できる。むしろ、子どもたちの九五％がワクチンをしっかり接種しておけば、そういう子どもたちを含めて世代的に守っていくことができる。

ところで、麻疹を含めた感染性の強い疾患の多くが、もともと小児期に感染するもので、成人と比すれば重症化しにくいことを特徴としている。風疹や水痘、おたふく風邪もそうだ。むしろ、そのような疾患でなければ、人類社会で持続感染しえないのかもしれない。比較的元気に動き回る子どもたちが感染を拡げる一方で、成人は既感染なので感染しないか、感染しても極めて軽症（風邪）で終わってしまう。これがウイルスにとっても、人類にとっても都合のよい共生なのかもしれない。

## 感染症と共存しつつ制御する

いま、新型コロナウイルスによる新興感染症が人類社会へと急速に広がっている。彼らウイルスにとって、すべてが「処女地」であり、もはや封じ込めることはできない。高齢者や基礎疾患を有する人への高い病原性を持っているが、子どもたちへの病原性は低く、人類社会に定着する都合よい性質を有しているようだ。

封じ込めができない以上は、集団免疫に達することで終息するのだろう。新型コロナウイルスの基本再生産数は1.4〜2.5と試算されており、日本に住んでいる人の二九〜六〇%が免疫を獲得すれば終息に至るものと理論上は考えられる。

麻疹の九二〜九四%に比すれば少ない数ですむから、早く集団免疫に到達できるかというと、実はそうではない。麻疹ほど感染力が強くないために、じっくりと進むと考える必要がある。東京のような大都会は早いかもしれないが、沖縄の離島やへき地まで感染が広がるには数十年……あるいは到達しないまま世代交代が続くかもしれない。

この原稿を執筆している二〇二〇年六月中旬の時点で、日本では、新型コロナウイルスの流行が一旦は収束したように見受けられる。しかし、数十人程度の感染者を毎日確認しており、日本がとっている現行の対策においては、これが定常状態なのかもしれない。一定の人口があると感染症はリザーブされてしまうもの。そのうえで、ときどき地域的なアウトブレイクを認め、その都度、封じ込めることが繰り返されるのだろう。

今後を見通すうえで重要なポイントがある。それは、世界のほとんどの国が、新型コロナウイルスの封じ込めを諦め、このウイルスと共存する道を選んだということだ。私たちは「新型コロナウイルスのある世界」を受け入れている。

日本政府もまた、国内における感染拡大を防止すること、とくにオーバーシュートと呼ばれる爆発的拡大を防止することを基本的な方針としている。理屈上は封じ込めることも可能かもしれないが、そのために犠牲となる社会経済がある。そもそも、欧米諸国が封じ込めを諦めているのに、日本がコロナフリーを維持しようとするのは現実的ではない。

というわけで、私たちは「地域で新型コロナを発生させない」ではなく、「地域で発生することはあるが広げない」ことを目標にして、感染対策をとっていくことになる。観光など人の移動も活発になっていき、思わぬところで感染者を認めることもあるだろう。大切なことは、あらゆる地域で警戒感を保ちつつ、できるだけ早期に感染者に気づき、適切な治療を受けさせ、地域へと広げないようにすることだ。

## ワクチンに期待しすぎないこと

感染防御の効果を有しており、かつ十分な持続期間のあるワクチンが開発され、人類全体に行き渡るだけ供給できれば、私たちは集団免疫を獲得してウイルスを排除できるかもしれない。もっとも楽観的なシナリオである。

ただし、有効なワクチンが供給されたからといって、若者たちが接種するとは限らない。有害事象の報道があればなおさらで、ワクチンを強制接種することはできなくなる。マスクや手洗いと違って、ワクチン接種には副反応のリスクがあるからだ。このウイルスが大きな脅威とはいえない若者たちを、どこまで巻き込んでワクチン接種が進められるのか、集団免疫にまで導けるのか、少し冷静になった方がよいと思う。

たとえば、麻疹のワクチンには明らかに感染防御の効果があり、二回接種することで感染の可能性を限りなくゼロに近づけることができる。しかし、私たちは根絶できていない。本稿の冒頭で二〇一八年春の沖縄における流行を紹介したが、実は、この年は世界的な流行があり、三五万人以上が感染し、一四万人が死亡したとされる。ヨーロッパでも感染者が七万人以上と猛威をふるったが、子どもに予防接種を受けさせないワクチン懐疑派が増えてきていることが主たる原因と考えられている。

ワクチンが供給されれば、そのまま普及して、全世代において接種が進むわけではない。その有効性だけでなく、副反応のリスクについても丁寧に説明していくことが求められる。そのうえで、感染症を抑え込んでいくため、若者たちにも連帯を呼びかけることが求められるだろう。

多少なりとも副反応の疑念がある場合には、若者たちに接種を求めすぎない方がよいかもしれない。その場合は、たとえば持続期間が一年程度であれば、高齢者や基礎疾患を有する人に対して、インフルエンザのように毎年の定期接種を勧奨することになるものと考えられる。

## 利他主義に基づく連帯を築く

その一方で、高齢者や基礎疾患を有する人たちのあいだでは、接種の優先順位をめぐって葛藤が生じる可能性がある。新型コロナの病原性に関しては、いまだ不明な点も多く、これを決定するプロセスは困難を伴うことが予測される。

たとえば、七〇歳と九〇歳では、明らかに九〇歳の方がハイリスクだが、七〇歳の方が活動的で、感染リスクは高いだろう。同じ六〇歳でも男性の方が女性よりハイリスクと考えられているが、女性は後回しにしてよいだろうか？　あるいは、八〇歳の高齢者と一〇歳の喘息小児は、どちらを優先すべきだろうか？　こうした話し合いを詰めていく必要がある。

こうした接種順位を決定するにあたっては、政治そのものへの信頼が不可欠だ。ここ最近だけでも、検察庁法改正案と検事長辞任、持続化給付金事業への疑惑など、不透明な問題が次々に取り沙汰され、いずれも明確には答えられていないように見受けられる。一方で、個別の問題を指摘し続けることのみで、政治への信頼が取り戻されるとも思えない。危機のさなかにあって、国民の連帯を築くために政治は力を合わせてほしい。

二〇二〇年は大きな変化の年になるだろう。大切なことは、この流れを止めないことだ。新型コロナウイルスの被害状況は、人種や貧富における格差の問題を浮き彫りにした。健康格差、デジタル格差、アクセス格差……アメリカから世界へと抗議デモが連鎖している。世界でも、日本でも、パンデミックは「目覚まし時計」の役割を果たしている。

感染症から社会を守るため、私たちは、利他主義に基づく連帯を築いておく必要がある。そうした準備を果たすことなく、ワクチンの優先順位を決定したり、治療薬の奪い合いを始めてしまうと、分断と憎悪の引き金をひくことにもなりかねない。その意味で、残された時間は限られている。

## 感染症に強い社会へと成長する

今回の新型コロナウイルス感染症は、私たちの社会が過密になっており、感染症に脆弱であることを教えてくれた。私たちは、ワクチンや治療薬を心待ちにするばかりでなく、持ち込まれた感染症が自然に消えゆく社会を目指していく必要がある。

発熱などの症状があるときは外出自粛を心がけ、学校や会社を休むのが当たり前の社会。混雑を生じないように時間的、空間的に分散しており、自転車での移動が標準となるような都市設計。在宅でできる仕事は、できるだけ在宅でやれるような業務管理。出張を減らしてオンライン会議を定着させること。咳エチケット、とくに手のひらに向かって咳やくしゃみをしない心がけ。外出した後と食事の前には、手を洗う衛生習慣。病院や高齢者施設に行くときは、体の弱い人が集まっていることを認識し、とりわけ周囲への感染予防を心掛けること。
こうした暮らし方を身に着けることができれば、ウイルスは持ち込まれにくくなり、持ち込まれても流行できずに消えていくはずだ。これこそが、「新型コロナウイルスのある世界」で暮らすうえで求められていることであり、感染症に強い社会へと成長するために学びとるべきことだろう。

たかやま よしひろ 一九七〇年生まれ。沖縄県立中部病院感染症内科／地域ケア科副部長。厚生労働省医政局地域医療計画課技術参与、日本医師会総合政策研究機構非常勤研究員。『地域医療と暮らしのゆくえ——超高齢社会をともに生きる』ほか。

黒木登志夫

# 日本版CDCに必要なこと

## CDCの成功と失敗

一九八〇年から八一年にかけて、カリフォルニアとニューヨークで奇妙な病気の報告が続いた。カリフォルニアでは、元々ヒトには無害と思われていたニューモシスティス・カリニという微生物による肺炎(カリニ肺炎)が報告された。CDC(Center for Disease Control and Prevention)は、カリニ肺炎の特効薬ペンタミジンの処方がニューヨークで増えているという事実もつかんでいた。さらに、CDCは、カポジ肉腫という希な皮膚がんの報告をニューヨークから受け取っていた。一九八一年七月三日のCDC週報は、『男性同性愛者に見られるカリニ肺炎とカポジ肉腫』を報告し、エイズという新しい病気の存在が明らかになった。CDCの注意深い観察力と鋭い洞察力は、それから四〇年を経た今でも賞賛されている。

そのCDCがコロナ対策では大きな失敗をした。二〇二〇年二月四日にFDA(U.S. Food and

Drug Administration）の認可を取ったＣＤＣ独自のコロナウイルス検出用ＰＣＲ検査キットに不純物が混入し、正しく判定できないことがわかったのだ。ＣＤＣがＦＤＡの再認可を取ったのは三月一五日であった。アメリカはＰＣＲ検査で初動で四〇日もの後れをとってしまった。

ＣＤＣは、アメリカ国民の健康を担う司令塔である。その予算額は一一一億ドル（一・二兆円）にのぼり、一万五〇〇〇人のスタッフを抱える。他の多くの国もＣＤＣのような司令塔を持っているが、日本にはまだない。コロナ問題をきっかけに、日本版ＣＤＣが必要という声が大きくなってきた。確かに日本にＣＤＣがあれば素晴らしいと思うが、それに匹敵するような組織が日本にもできるであろうか。

## 日本政府、専門家会議の成功と失敗

コロナのようなずる賢いウイルス相手に、完全な対策は不可能である。どこの国でも成功と失敗の繰り返しながら、経済とのバランスという困難な舵取りをしている。ＣＤＣでさえ間違えたのだ。日本はどうだろうか。

日本は、初期のクラスター対策には成功したと言ってもよいだろう。屋形船、ライブハウスなどのクラスターを追跡し感染者を同定し、拡散を防ぐことができた。国立感染症研究所のゲノム解析からも、初期の武漢由来感染者の抑え込みに成功したことは確かである。二月末からヨーロッパ由来のウイルスが主役の第二期になった。しかし、政府と国民に危機意識はうすく、一人小池都知事が強い懸念を示す中、三月の連休をきっかけに感染は広がった。四月に入ると専門家会議の勧告により、政府は緊急事態宣言を出した。その中身は、諸外国の都市封鎖(ロックダウン)と比べるとはるかに緩く、自粛要請レベルであった。それにもかかわらず、少なくとも五月下旬現在では、感染者と死亡者の抑えこみに成功している。何故、成功したのか。その最大の理由は、政府の要請に応えて、国民が真面目に自粛したためであろう。加えて、相手に触れるよりも少し離れてお辞儀をする、清潔好きなどの生活習慣があるのかもしれない。日本人のゲノムに何か秘密が隠されているのかもしれない。

その一方、コロナ感染を注意深く見て生きた一人として、政府と専門家会議が多くの問題も内包しているのも知っている。ポストコロナの世界を生き抜くためには、日本版CDCを作るべきであるが、大丈夫だろうか。

## 失われた一カ月

中国がWHOに新型コロナウイルスを報告したのは二〇一九年一二月三一日であった。二〇二〇年一月五日、WHOは「流行発生ニュース(Disease outbreak news)」で注意を促した。一月八日、『ウォール・ストリート・ジャーナル』は、武漢のミステリアスな肺炎の原因がコロナウイルスであると報じた。

日本での最初のコロナ感染者は、一月一四日に武漢から帰国した男性であった。一月二九日には、武漢在留邦人の帰国チャーター便が、さらに、二月三日に感染者を乗せたダイアモンドプリンセス号が横浜港に入港し、国中が騒然となった。二月一三日には、最初の死亡者が出た。

一月三〇日、政府内に「対策本部」と、感染症専門の立場から対策を担う「アドバイザリーボード」、後の「専門家会議」(二月一四日設置)が設置された。専門家会議には、WHOのスタッフとしてSARS対策に当たった尾身茂と押谷仁が入っている。最初の会議が行われたのは二月七日であった。WHOの報告以来すでに一カ月余り、国内で感染者が出てから三週間が経過していた。この一月の間、厚労省と国立感染症研究所は何らかの対策を考えていたに違いないのだが、政府の記録には出てこない。日本はスタートからすでに出遅れていた。

タイは、感染者が帰国した二日後の一月九日にはウイルスゲノムを分析し、コロナウイルスであることを確認している。韓国では、一月二〇日、最初の感染者が武漢から入国してからわずか一週間後には、PCR検査キットの開発と大量生産を医療メーカーに要請し、二週間後には一日あたり一〇万キットを生産した。それによりドライブスルーやウォークスルー検査など独創的な検査体制が可能になった。検査をバックアップする病院体制もすでに整備されていた。

韓国は二〇一五年のMERS(中東呼吸器症候群)の経験があったからと言われている。しかし、それは、日本が出遅れた言い訳にはならない。日本でも、この一カ月の間に体制を整えようとすれば、相当のことができたはずである。しかし、それは失われた一月であった。

## 最大の問題はPCR検査の制限

私は、がんを専門としているが、東北大と東大で感染症に伝統を持つ二つの研究所で研究をしていたこともあり、昔から感染症に関心を持っていた。私の単純な理解では、感染症対策の三原則は、

1 感染源の同定、
2 感染者の同定、
3 感染者の隔離である。

そして新型コロナウイルス感染を証明するためには、PCR検査によってウイルスのゲノムを同定する他に方法はない。当然の帰結として、PCR検査なくしてコロナ対策もありえない。

専門家会議は議事録を残していないため、PCR検査についてどのような議論がされたのか明らかでない。しかし、『基本方針の具体化に向けた見解』は公表されている。二月二四日の会議では、「全ての人にPCR検査をすることは、［略］有効ではありません。［略］重症化のおそれのある方の検査のために(PCR検査を)集中させる必要があると考えます」。つまり、PCR

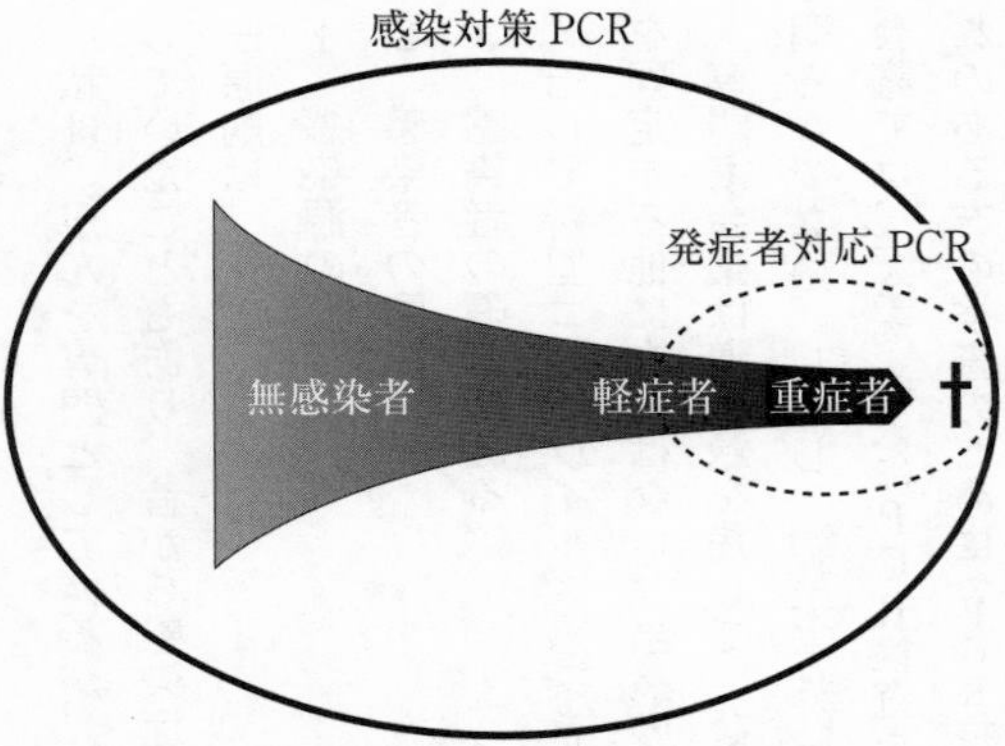


図1　政府の「発症者対応モデル」は，検査対象を非常に狭く限定している．一方，「感染対応モデル」は，感染の可能性のある人を広く検査することにより，無症状の感染者から重症者に至るまで，全体を把握することができる

検査は、感染者同定のためではなく、重症者を見つけるために行われたのであった。私は、専門家会議の考えを「発症者対応モデル」とし、感染者を同定するための「感染対応モデル」と対比した（図1）。

　PCR検査には、感染症法により「行政検査」という枠がはめられていた。行政が必要と認めたときだけ検査が承認されるのである。行政機関（厚労省、国立感染症研究所、地方衛生研究所、保健所等）が認めなければ検査ができず、その上、検査を実施するのもこれらの行政機関に限られていた。PCRはそんな特殊な検査ではない。どの病院でも日常的に検査をしているし、民間の検査会社も高い技術を持っている。それなのに、厚労省官僚は、患者よりも、感染予防よりも、官僚的整合性を優先させ、PCR検査をコントロールした。しかし、世間の反発は大きく、ついに三月六日に医師が必要と認めれば保険診療として検査ができるようになった。

行政検査となると検査数は限られてくる。政府はPCR検査を制限するために、さまざまな条件をつけた。その一つが、「三七・五度以上四日間の発熱」であった。この条件のためにPCR検査を受けられない人が続出し、発見が遅れた感染者も出た。政府は、五月八日ついにこの制限を外した。しかし、その説明にわれわれは唖然とした。

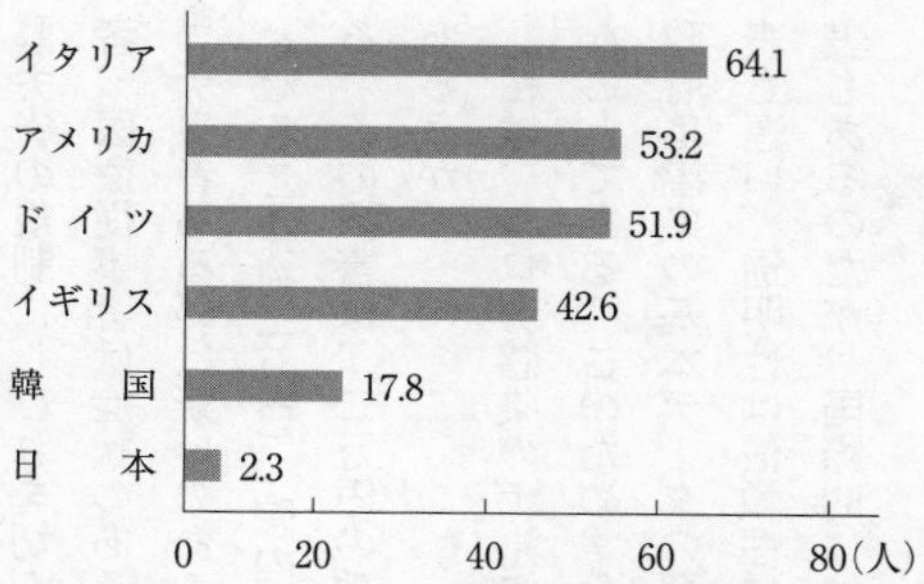

図2　人口1000人あたりのPCR検査数(2020年5月3日時点．オックスフォード大学調べ)

加藤厚労大臣は、「我々から見れば誤解だ」、自治体には「幾度となく通知を出し、相談や受診は弾力的に対応していただきたいと申し上げてきた」と強調した。これは余りに官僚的な言い逃れである。間違っていたら、きちんと間違いを認め、新たな対策を説明すべきである。行政と官僚は間違えないという体質が、行政文書の破棄や政府と官僚の虚偽答弁を生み、コロナウイルスにも感染した。

日本のPCR検査数は、他の国々と比べると圧倒的に少ない(図2)。このため、国際的に、日本の感染者数はまともに信じられていない。現在に至るまで、本当はもっと多いのではないかと疑いの目で見られている。医療者側は、厚労省の規制にしびれを切らし、自ら検査をするようになった。院内感染を防ぐため、入院患者、医療従事者は症状のあるなしにかかわらず、必要であれば検査する。しかし、厚労省はコロナ患者あるいは疑いのある人以外のPCR検査を認めていないので、すべて病院の自腹負担となる(一件約二万円)。院内感染が起これば、クラスターとなり感染は拡大し、医療は崩壊する。その損害は、二万円の数万倍になる。その危険性を、厚労省はどこまでわかっているのであろうか。

私は、コロナ感染のデータを分析しているが、一番困るのは、政府の正式発表が余りに貧弱なことである。このため、公的発表をまとめた東洋経済のデータベースを基に計算している。政府は感染の基本データの発表に力を入れて欲しい。ファックス通信を使っているせいか、発表も遅い。透明性は信頼性にとって必須の条件であることを忘れないで欲しい。一応英語の発表もあるのだが、国際的には通用しないレベルである。

## エビデンスによらない政策

二月二七日、安倍首相は専門家会議に諮ることなく、突然全国の学校閉鎖を要請した。四月一日には、全国民にマスクを二つずつ配布すると発表した。いわゆる、「アベノマスク」である。二つの政策を進言したのは、内閣府の総理補佐官と言われている。現在、政策決定にはE

BPM(Evidence based policy making)が強く言われているが、この二つの重大な政策決定にはエビデンスがない。アベノマスクは数十億円であるにかかわらず随意契約で行われたのも問題である。

## 密室人事

できるかもしれない日本版CDCのトップ人事の重要性については言をまたない。しかし、これまでのトップ人事は、政府内で密かに行われ、必ずしも適任者が選ばれてこなかった。確かに、独立行政法人の理事長は所管大臣が決めることになっているが、トップ人事の重要性から、サーチ委員会を作るなど透明性の高い方法により、適正な人事をすべきである。

## 日本版CDCはできるか

コロナ禍の中で、対策の司令塔となるCDCが日本にも必要だと、誰もが思っている。しかし、この四カ月の政府と専門家会議の仕事ぶりを見ているうちに、このままの政治と官僚制度の中で、本当に独立した指導力のある司令塔を作るのは無理だと思い始めた。少なくとも、政府の対応については、第三者による検証が必要である。私の考える問題点を以下に記す。

・行政的、官僚的発想から抜けられない厚生官僚

・互いに忖度し合う政府と専門家会議
・エビデンスを無視した政策決定
・透明性のない運営
・誤りを認めない体質
・現場を無視した体制
・スピード感の欠如
・社会への発信軽視
・透明性のないトップ人事

さらに深く考えれば、このような問題の背景には、経済至上主義による「選択と集中」と「グローバル化」があるのだ。コロナ後の世界は、これまでの価値観とシステムを見直すチャンスでもある。

くろき　としお　一九三六年生まれ。日本学術振興会学術システム研究センター顧問、東京大学名誉教授、岐阜大学名誉教授。専門はがん研究。『研究不正』『iPS細胞』ほか。

村上陽一郎

# COVID－19から学べること

一九四五年八月一五日、日本は戦争と飢餓とに打ちひしがれた非常時に、とりあえずの終止符を打った。「非常時」とは、すべての国民が、等しく明日の命が保証されない状態を指す、と考えておこう。爆弾、機銃掃射、焼夷弾などから命を守らなければならない事態は、八月一五日を以て一応解消されたのである。

しかし、飢餓との戦いは、その後も続いた。政府が配給によって保証してくれる食料だけに頼っては、生き続けることができないことを、判事山口良忠氏は身をもって証明してみせた。敗戦後二年経ったころのことである。戦後間もなく、小学校の国語の教科書に載った宮沢賢治の「雨ニモマケズ」の一節、「一日ニ玄米四合ト、味噌ト少シノ野菜ヲタベ」のくだりは、実は「玄米三合ト」に改められていた。念のために書くが、今の日本人の平均コメ消費量は、一日一合強であるが、その感覚でこの詞文は読まないで欲しい。その間にも、コメ寄こせデモは、あちこちで起こり、為政者への激しい怒りを「朕はタラフク食ってるぞ、汝人民飢えて死ね」

というスローガンにぶつける人々まで現れたが、山口判事はいわば例外で、大半の人々は、政治に頼ることなく、自らの才覚で、闇市場に流通する高額の闇米で、辛うじて命を繋いだ。それゆえ、先の「非常時」の定義は、ここでは当て嵌まらないかもしれない。さらに言えば、闇市にコメを流して、あるいは、都会からやってくる「タケノコ生活」の人々からの貢ぎ物で、大儲けをする農家も、国民の一人だったからだ。いずれにせよ、米穀通帳に象徴される、食糧管理法に基づくコメの国家管理は、一九八一年まで続いたが、飢餓との闘いは、すでに、とっくに終わっていた。以来、日本社会は、「非常時」を知らずに来ることが出来た。

確かに、台風、地震を主とする自然災害には、毎年のように襲われた。しかし、すべての国民が等しく、明日の自分の生命を慮って行動しなければならないような「非常時」は、まさしく二〇二〇年という年に、戦後初めて日本人が経験することになったのである。特に日本の場合は、海外からのクルーズ船の来航という、変則的な事態から、基本的には始まっただけに、為政者も、国民も、何が最善の策であるか、という判断を下せない、宙吊り状況の中に置かれた。

いや、一つだけ、決定的に判っている対策がある。言うまでもなくそれは「人―人感染」の機会を減らすこと、人間同士の接触機会を能う限り減らすことである。この鉄則は、如何なる時代、如何なる社会にあっても、感染症拡大の予防に普遍的に当て嵌まる。そして、そのためには、個人の行動に相当の制限を加えることができなければならない。

例えば、一四世紀半ば近く、全世界に蔓延したペストは、歴史上「黒死病」の名で記録されるが、このとき、病原体のような概念は一切存在しなかった。病因説としては、大気の汚染（瘴気説と呼ばれる）や、星の位置からの影響しかあり得なかった。因みに「影響」という言葉を使ったが、まさしくそれが病因でもあった。というのは、星々から地上に「流入する」（in-fluentia）何ものかが、人間に「影響」（influence）を及ぼすからである。もう一つ付け加えればヨーロッパ語の「インフルエンザ」もまた、この言葉に直接負っている。さて、それはそれとして、しかし、何かが人から人に伝わるという事実は誰の目にも明らかであった。病因説としては、「伝染」という概念はないにもかかわらず、すでにこのとき、ペストが猖獗を極めている地域から入港する船は、「四〇日間」港外に留め置かれる、という処置が生まれている。四〇日を表す語が、今ヨーロッパ語では〈quarantine〉として、検疫や隔離の意味で使われている。看護者は、病者の眼から何かが入るとして、眼を合わせないような特殊なマスクをつけたりしている描図も残されている。また「ロックダウン」などの言葉は無論なかったし、私権云々などというブレーキもないままに、警察や軍隊に相当する強権力が、閉鎖社会を造り出すために機能したのであった。つまり、このとき、病因説とは無関係に「人－人感染」の危険に対処しようとしていたことが判る。

現代においても、SARSやMERSの場合においても、「人―人」の接触を断つことが、最大の防御であることは証明済みであった。

しかし、それを現代社会において、徹底して実行することがどれほど困難であるか、それを私たちは今体験しつつある。その困難は、社会の構造から来る技術的な困難さでもある。現代社会において、人間のモビリティは、過去の如何なる時代と比べても、格段に大きくなっている。しかも、その大きさは文字通り「グローバル」である。しかも移動の自由は、自由社会において保障されている個人の権利の一つである。感染症の鉄則は、この点で最初のブロックにぶつかることになる。日本でも、政権側が、緊急事態宣言を法制化しようとしたときにも、議会でも反対票を投じる勢力があったし、識者の中には、今でも私権の制限は認められない、という主張をする人々も存在する。

しかし、問題はそればかりではない。すでに日本でも顕在化している、経済構造のなかでの困難である。個人の行動の制限は、現代社会では、直ちに、生活を支えられなくなる。それは、単純な非正規労働に従事する人々ばかりではなく、例えば演奏機会やレッスンの機会を失った音楽家のような階層でも、同じように問題が生じる。戦争という非常時には、国家の支援など、全く期待できない。あるいは、むしろ個人の福利を国家が奪うことが自然であり、当然であると、考えられていた場面、例えば戦後の食糧危機の場合でさえ、未だ人々は国家を当てにする意識は希薄であった。しかし、今、人は当然のように、国家・社会が、個人が被る不利を補償すべきだと見做す。

このような事態に、解決策はあるのだろうか。

少なくとも、マクロな科学合理性の立場だけで考えれば、むしろ感染は広がった方が利が大きい。ここで言う「マクロ」とは、時間と空間の双方の意味がある。時間で言えば、少なくとも数年というパースペクティヴの意味である。空間というのは、社会全体が占める空間と考えればよい。そうしたパースペクティヴでは、数年の間に、感染が社会全体に行き届いて、一般的に社会免疫が得られれば、ヴィルスの方でも、変異を起こす可能性は十分あるにせよ、致命的な結果を惹き起こすだけの能力を持たなくなるからである。ヨーロッパでも、スウェーデンやドイツの基本政策は、その方向に舵をとっているかに見える。

しかし、よりミクロな視点に立てば、その間にも、何人の個人が犠牲になるのか、という問題に目を、向けざるを得ないことになる。この段階での議論は、ワクチン接種という一般論でも、同様に起こる。一般に社会政策としてのワクチン接種は、その安全性は十分に確保されたうえで始められるが、それでも、個人差もあって、必ず何パーセントかの確率で、何らかの不幸な例を生み出す。疾病に対する社会全体の防衛というマクロな面で考えれば、ワクチン接種は完全な合理性を持つが、不幸な例の側に立てば、問題を見過ごすことができないのは当然だろう。特にワクチン接種の場合は、全く健康な個人が、言わば強制的に「病気に罹らせられた」ことになるのだから、事態は深刻である。日本の場合、ワクチン禍に対する補償の法律はあるが、被害者の立場からすれば、金銭補償がいくらあったとしても、それでことが割り切れるわけではない。ここには、社会防衛か、個人防衛か、という永遠に解けない問題がある。今回のパンデミックでも、社会免疫が整備されるのを待つ前に、どれだけの個人防衛に力を注げるか、という点が、最もクルーシャルな問題であろう。

今回の新型肺炎で、判っていることは少ない。すでに、私たちは二一世紀に入って、SARS、MERS、あるいはトリ・インフルエンザのような、パンデミックの可能性のあるヴィルス性感染症の発生を経験してきた。SARS、MERS、ともに中国が原発地のようだが、前者は主としてヴィエトナムで、後者は韓国で、いずれも、多くの犠牲者を出しながら、辛うじて激烈なパンデミックになる前に、とりあえず、終息を見た。とりわけ日本では、無風状態に終始した。それが幸いであったのか、今では聊か怪しくなっているが。

世界全体でみたとき、現時点(二〇二〇年四月半ば)で判っていることは、大まかな死亡率は三パーセント前後、但し、ヨーロッパでは、ドイツを除いて一〇パーセントを越えるところが多い。人口当たりの検査率は韓国が圧倒的に高く、日本(は極端に少ないが)の一〇〇倍を超えているのは、MERSの傷跡が残した遺産であろう。

そこから覗えるヴィルスの特徴は、感染率は極めて高いが、死亡率はある程度穏当で、その意味では、極めて「賢い」(ヴィルスは本来生き物ではないが、生体内で「生きる」ための戦略に長けている)性格のものだという点である。それは人間にとっては、具合が悪いのは当然で、不顕性の患者、いわゆる〈silent spreader〉が多数あることの原因でも、結果でもある。ヴィルスには少なくとも三つほどの異型が存在するらしいし、ヨーロッパでの死亡率が高い理由をその点に求める人々もいるが、確証はないし、ドイツの例外を説明しきれるか、疑問は残る。日本の死亡率が、世界平均よりかなり低い(二・三パーセント程度)ことが注目を浴び、乳児にBCGを強制接種していることに原因を求める向きもあるが、根拠は全くない。なお、SNSを国際的に賑わしていた、武漢所在のBSL－4(古い言い方ではP－4)で細工をしたヴィルスが流出した、という過失説、あるいは陰謀説に対しては、COVID－19には、人工的に細工のされている形跡はないことを、分析的方法で論証できる、という信頼すべき論考がある。

この事態は、当分続くことが予想される。社会免疫ができるには、感染力が異様に高いCOVID－19でも、一年以上かかるだろうし、SARSやMERSの例でも判るように、ワクチンの創成も、簡単には期待できない。特効薬と言われるアビガンは、インフルエンザや、エボラ出血熱など、ヴィルス性の感染症などに効果があるのでは、という期待の下で、日本で開発されたものだが、COVID－19に対する効果は、今のところ未知数の段階である。このような状況が社会全体を覆う閉塞感は、かつてないほど大きい。その中で、未来社会への展望が、全く拓けないのでは、余りに哀しい。

一つのポイントは、今の社会は死を遠くに置きすぎていないか、という点である。例えば、ある一人の喜劇タレント(と呼んでおくが)がCOVID－19の犠牲になったことが、まるで天変地異、大災害が起きたように、連日大きな時間を割いて報道される。彼の死を悼むことにおいて人後に落ちないとは言え、我々は、類例を見ない超高齢化社会にいる。そして超高齢化社会とは、その成員の相当数が、常に死と隣り合わせに生きている社会である。私たちは、そのことを今度の災厄で学んでもよいのではないか。

かつての「非常時」、私たちは、今日を生き延びられた夜、ほっとして今日一日を何とか「生きた」という実感を、敢えて言えば「悦び」を得ていた。私は小学生だったが、その実感は今も忘れない。しかし、今日、そうした「生」の充実感は、どこか遠いところにある。「死」を遠去けた結果、「生」もまた遠去かったのかもしれない。私は高齢者の一人として、今日を無事に生き得たことを、何ものかに感謝する習慣を取り戻している。

一七世紀のイギリス全土で、ペストが流行した際、ケンブリッジの学生だったニュートンは、大学が休校になったために、故郷のウールスソープに戻って蟄居していた間に、彼の、現在でいう物理学的な仕事の基礎をほとんど、完成したという故事がある。ニュートンの「強制された休暇」とか、「創造的休暇」などと呼ばれる。社会が未曽有の危機に立たされたとき、その中から、次の時代をリードするような新しい芽が生まれてくる事例、と評するには、個人的に過ぎるかもしれないが、一つの教訓にできるかもしれない。

閉塞状況によって圧伏されているエネルギーが、新しい価値の追求に向かって爆発する、という事態は、歴史のなかに決して少なくない。無論、後世からみて、肯定的に評価できる例ばかりではない。ロシア革命もそうだったろうし、ナチスの政権掌握も、同じようなパターンとみることもができよう。どちらも、為政者側の、状況に対する対策の「無力」さが、要因の一つになっている。そうしたモブ的反応、あるいはデモクラシー(今日ウェブ上で殷賑を極める「デマ」の語源とも通底する、その語のもともとの意味における)的な気配が、今見えないこともない。例えば、フランスでは、当初中国政権の強権的な体制側の力の発動を、民主主義(この場合は、現代の価値的イデオロギーとしての)に反するとして、〈liberticide〉(直訳すれば「自由殺」だろうか)という激越な言葉で叩いていたが、今では警察や軍隊を動員した、極めて強権的な政策に甘んじて承引している。日本でも緊急事態宣言の元になる法案の審議に際して、私権の制限になるという論点から反対した勢力までが、緊急事態宣言が出されてみると、「遅すぎ」、あるいは「緩すぎ」という反応を示している。今、厳密な〈lock-down〉の出来ない日本の状況を歯痒がる人々は多い。こうした傾向が、理念的自由主義・共和主義について回る非効率性への諦めを生み出す可能性はないか、慎重に見守らなければならないポイントの一つに違いない。

しかし、「緩い」と思われる規制政策のなかで、日本人（の大多数）が示した良識ある行動は、流行の激発をとにかく抑え込むことに、少なくとも今のところ成功している。この点は十分に評価されてしかるべきであろう。

当然誰でも指摘することになろうが、情報技術の普及は、これまであまり利用意欲を持たなかった高齢者層も含めて、さらに飛躍的に増大するだろう。実際、今まで職場でなければできないと信じられていた仕事が、在宅でも実は可能であった、ということが明らかになれば、それこそ今の政府の言う意味とは別に「働き方改革」が期せずして実現するかもしれない。もちろん、製造業の現場は、決してテレワークで置き換わることはないが、それでも無人化の意味が再度問われるかもしれない。そして、この非現場主義は、音楽など、通常の「働き場」とは性格の違う領域にも浸透し、画期的な試みがすでに幾つも実験されつつある。

ただ、気になるのは、ウェブの積極的活用の裏に、極度の〈popular sentiment〉の高まりがあることである。「ポピュラー・センティメント」は「パブリック・オピニオン」とは違う。かつて日本語はこの二つを区別するのに「世論」(「せいろん」と読ませた)と「輿論」があった。戦後の漢字利用を巡るご都合主義で、この二つを区別する方法を失った。今ウェブ上に広がる文字情報の相当部分は、もっぱらポピュラー・センティメントを煽るデマゴーグである。デマゴーグとは「誤っている」というだけではなく、人々を誤った方向へ誘導する「教育力」という意味を持つ。実際、ただでさえCOVID―19は、判らないことだらけ、そこにデマゴーグが溢れたとき、その結果は恐ろしい。逆に言えば、今度の災厄を好機に転じて、ウェブ上の真偽を見分ける術を、人々が学ぶことが出来れば、とも思う。

最後に、やや抽象的な望みを記しておきたい。今日の社会に必要な理念の一つ、それも重要なそれは「寛容」ではないか。例えば為政者の場合、こうした非常時の事後評価に常に付きまとうディレンマがある。それは「あのときなすべきでなかったことをした」と「あのときなすべきであったことをしなかった」という肢の間に起こるディレンマである。それに対して、私たちは、厳しい批判をぶつけがちである。正当な吟味による批判がなければ、社会は前に進めないが、しかし、そこには「寛容」が求められるのでもある。為政者は上のディレンマに基づくいわれのない非難をも受け入れる寛容さが必要である。評価する側にも、人間は常に「ベスト」の選択肢を選ぶことのできる存在ではないことへの理解が必要とされるだろう。その意味で、私は、「寛容」の定義の一つとして、人間が判断し行動するとき、「ベター」と思われる選択肢を探すべきであって、「ベスト」のそれを求めるべきではない、というルールを認めることである、と書いておきたい。今回のヴィルス禍によって、社会のなかに少しでも、こうした「寛容」を受け容れる余地が広がるとすれば、不幸中の幸いではなかろうか。

むらかみ ようぃちろう 一九三六年生まれ。東京大学名誉教授。国際基督教大学名誉教授。科学思想史・科学哲学専攻。『ペスト大流行――ヨーロッパ中世の崩壊』『死ねない時代の哲学』ほか。

# Ⅱ　パンデミックに向き合う

## ロックダウンの下での「小さな歴史」

飯島　渉

### はじめに

個人的なことから、この文章を始めさせていただきたい。この五年ほどの間に二回大きな病気を患って、入院と手術を経験した。その間に父母を亡くしたので、日々、医療者や病院と付き合ってきた。こうした経験のうえに、今回の出来事に想いをはせると、いろいろ感じるところがある。

例えば、医療崩壊。感染をめぐって患者が急増すると病院の人的物的な資源が枯渇し、医療者の感染によってもそれが起きる。頭ではわかる。感染症を引き受ける病院は、規模が大きく設備の整ったところが多いから、難しい手術も行っている。そのため、予定していた手術ができなくなっている場合も多いはずである。検診が延期されることもある。その結果、不測のことも起こりうる。私自身もより重篤な患者の手術が入って、日程が変更になったことがあり、気持ちを察することができる、これはつらい。介護崩壊も起きつつあるという。もし、父母の看護や介護が続いていたら、その影響をもろに被ったに違いない。日々の手当てに悩んでいる方も多いだろう。

一日も早く、事態が改善し、私たちも外出したり、会食できる日が来ることを願う。ころころと対策は変わったが、私も一〇万円もらえるようである。実際にお金が入ってからでは遅いだろうから、まず、たいへんお世話になった医療や看護・介護の組織に先に寄付してから、書類を待つことにした。

## 中国における大規模なロックダウン

今回の状況がやっかいなのは、新型コロナ・ウイルス（SARS－CoV－2）を原因とする感染症（COVID－19）が未知の感染症（新興感染症）だったからである。つまり、症状もわからないことが多いし、治療薬もなければ、ワクチンもない。そのため、各国が共通してとったのは、私たちが行動を変容させ、ウイルスとの接触の機会を減らし感染の拡大を防ぐという公衆衛生的な対策であった。たいへんに古典的、しかし、それしか対策がなかった。

この対策は、人間の本源的欲求である、集まって一緒にご飯を食べ、会話を楽しみ、そして、さまざまなモノを生産し、売りさばき、こうした活動を時には国境も越えて行うことを制限するものである。個人的には、外国も含め旅行ができないのがつらい。インフルエンザが流行すると、学校を休校にするなどの措置はこれまでにも行われてきた。しかしそれを、都市を単位として、また国家を単位として大規模に実施するということはこれまでなかった。

二〇二〇年になると、COVID-19は中国の武漢市・湖北省を起源として世界に広がり、パンデミックとなった(WHOによる宣言、三月一一日)。中国政府は、春節(旧正月)前後の一月下旬から、武漢市や湖北省を封鎖した。武漢市は一〇〇〇万以上の人口をかかえ、その規模は東京都に匹敵する。湖北省の人口も六〇〇〇万近いので、イタリアやフランス、英国などとほぼ等しい。

これほど大規模な行動や生活の制限は、人類の公衆衛生の歴史において初めてのことだった。その後、対策は中国全体に拡大され、全人口のほぼ半分以上の人々が何らかの制限の下に置かれた。中国政府がこうした強硬な措置をとった背景には、初発段階での対策の問題点(COVID-19の危険性を指摘した李文亮医師は処罰の対象となり、李医師は不幸にもこの病気によって命を落とした。しかし、後に、その勇気ある行動が称賛され英雄となった)や対応の遅れを内外から批判されたことがあろう。

中国で行われた大規模な封鎖や性急ともみえる対策は、当初、大きな驚きをもって迎えられた。武漢市の「火神山医院」は、突貫工事でわずか一〇日のあいだに建設された臨時の感染症専門の病院で、病床は一〇〇〇である。中国医学で五臓の一つの肺は五行《ごぎょう》(木火土金水)の金《ごん》に属し、それに打ち克つのは火だとされる。つまり、病院の名前は、COVID-19の特徴である肺炎を治すことができる「火神」にちなんだものだった。患者が発見されてから慌てて病院を建設するとは、なんと短兵急な対応かと感じた。しかし、この文章を書いている五月初めの日本の状況からすれば、突貫工事の必要性も十分に理解できる。臨時に病院を建設できる土地もあったのだろうが、かなり羨ましい。

## 市場化と医療崩壊

流行が抑制されるまでに、武漢市には十数カ所の臨時病院が建設され、一万人以上の患者を収容したとされる。こうした努力にもかかわらず、医療崩壊が起きてしまった。それは人的あるいは物的な医療資源の不足と同時に、一時にたくさんの人が設備の整った病院に集中したことによって引き起こされた。

二〇世紀後半、社会主義化の中で、中国はいったん国民皆保険を確立した。その基礎となったのは、社会主義化を象徴する都市部の国営(国有)企業と農村部の人民公社で、これらが医療を支える基本的な「単位」となった。しかし、一九八〇年代になると、改革開放政策の下で、国営(国有)企業や人民公社が解体され、国民皆保険も崩壊してしまった。そして、医療サービスは徹底した市場経済の下に置かれるようになった。

二一世紀になって、二〇〇二年から〇三年に、今回の新型コロナ・ウイルスと同じコロナ・ウイルス(SARS-CoV、広東省が起源)を原因とするSARS(重症急性呼吸器症候群)が流行したとき、中国の医療や衛生はきわめて脆弱かつ不安定な状況にあった。この時期の状況をよく示しているのが「看病難、看病貴」(病気になっても診察してもらうことは難しく、診察してもらっても費用が高い)という言葉である。病院での順番待ちは日本も同様である。しかし、中国では診察の番号札を売る商売まで登場した。過度に市場化した医療への不満は、中国共産党政権の正統性を揺るがしかねない問題となっていた。

SARSに感染した人は世界で約八〇〇〇人(うち九割が中国)、亡くなったのはその一割弱であった。当時も、航空機の運航が停止されたり、さまざまな影響があったが、患者や死者は、今回のCOVID-19よりもはるかに軽微だった。しかし、心理的な面も含めその影響は大きく、その後、中国政府は「大きな政府」へと政策を転換した。医療を市場経済の下で運営する原則は変えなかったものの、急速な経済発展によって大きな資金を配分することが可能になり、病院設備の改善、医療や衛生の水準も向上し、新たな医療保険制度も整備された。こうして、中国における医療や衛生は強くなった。

一四億という巨大な人口を擁する中国の医療・衛生状況は、都市と農村、そして地域によっても依然として差異がある。しかし、中国における医療設備の充実は著しく、CTやMRIといった医療設備の面では、日本や欧米諸国とほとんど変わらない。「健康中国二〇三〇」という中国政府が策定した計画では、解決されるべき問題は先進国型の生活習慣病となった（飯島渉「「疫病史観」による中国の二〇〇年と新型肺炎」『中央公論』二〇二〇年六月号）。

COVID―19の流行の中で、病院に押し寄せる人々の姿を見ると、一時に設備のよい病院に人々が殺到したことが、医療崩壊の背景にあったことがわかる。これは、後に、イタリアやスペインなどでも起きたことで、病院へのアクセスがよくなったために医療崩壊も起きたのである。

## 「健康コード」と監視国家

COVID―19は、スマホやAIなどの技術が飛躍的に進んだ時代における初めての感染症のパンデミックである。中国政府は、「健康コード」を運用し、スマホを使って人々の位置情報を集積し、感染症対策に利用している。個人情報を提供することによって感染症から逃れるという意味では「監視国家」だが、この問題はもっとていねいに議論される必要がある。

韓国やシンガポールなども含め、個人情報を集積するためのツールと経済生活のツールが重なり合っている社会では、もはやスマホなどを通じての電子決済などがないと生活できない。

つまり、利便性の対価として、ある種の個人情報を提供することを許容している。それは、明日の日本かもしれない（梶谷懐・高口康太『幸福な監視国家・中国』NHK出版新書、二〇一九年）。ただ同時に、中国などでは、個人情報の提供を許容しない部分も意識されていて、監視と個人情報は単純な交換ではなく、人々はどう管理されているかを意識しながら、ある種の自己防衛も行っている。それを守るための手法も意識されている。つまり、社会や個人が弱いから監視が成立するのではなくて、強い社会に対して強力な対策がとられる中で、個人はそれらに対応する知恵を蓄積しているように見える。

## 『武漢封城日記』と「小さな歴史」

ＣＯＶＩＤ－19の患者数や死者数が発表され、それに世界の各地が一喜一憂している。しかし、数字が独り歩きをして、患者や死者、そして感染のリスクにさらされている膨大な個人の顔が見えにくくなっている。これは、現在進められている感染症対策の問題点の一つである。つまり、感染や死亡ということがらの背景にある個人の生活や、それぞれに家族もあれば、職場（学校）もあり、数値化できない個性があることが想像しにくくなっている。

そんな中で、ようやくロックダウンの下での人々の暮らしが伝えられるようになってきた。郭晶『武漢封城日記』は、二〇二〇年一月二三日から封鎖された武漢での三月一日までの暮らしを描いている。電子版で読んだ。

ソーシャルワーカーの郭さんは、一人暮らしで、そのための不安も書いている。おもに、日々何を食べたか、スーパーでの買い物（本書を読む限り、物資はかなり供給されていた）などの日常生活から、住民組織の「社区」を単位とする物品の購入や食事の提供、ロックダウンの下でのDV（中国語では「家暴」ということを知った）の様子などを描いている。もっと丁寧に紹介したいが、いずれ翻訳も出るだろう。

この記録が魅力的なのは、感染症対策にからめとられるだけではなく、個人の暮らしを何とか守りながら、外の社会とつながりを求める姿を描いているからである。インターネットを通じての「網友」との会話はもっとも大切だった。私はそのように読んだ。いわば、ロックダウンのもとでの「小さな歴史」を集めたものである。これは、現在の日本にもあるだろうし、世界のどこにでもあるはずである。しかし、日々忘れられていく。

歴史学にたずさわる者としては、インタビューなどによって、この間のさまざまな経験を記録し、後世の人々が使うことができるようにしておくことが必要だと感じ、まず学生に頼んで、記録を集めることにした。仮に、一人の学生が二人の記録を集め、それを広げていけば、数はたくさんになる。この方法は、最近よく聞く「実効再生産数」から学んだ。

## おわりに——「感染症の揺り籠(Disease Pool)」としての中国

新興感染症の流行は、歴史上、たびたび起きている。二〇世紀を象徴する感染症であるインフルエンザ(スペイン風邪)やHIV/AIDSもそうである。これを人類史から見れば、一万年前からはじまった農業によって森林を切り拓き、野生動物を家畜化したこと、そして、人々が集住して生活する都市化という基本的なトレンドがパンデミックの背景にある。今後も、別の新興感染症の発生は避けられない。

ここ三〇年ほどのあいだに、中国は急速な経済発展を経験し、世界の工場となった。経済活動や旅行などを通じての中国人の海外進出も顕著になった。「一帯一路」はその象徴である。そのため、しばらくのあいだは、中国を起源とする新興感染症の発生のリスクは高いと見るべきだろう(飯島渉「感染症と文明、その中国的文脈について」『現代思想』四八―七、二〇二〇年五月)。

現在起きていることをめぐっては、中国政府の初期対応を背景として、パンデミック化を防ぎきれなかったという理解と、中国がとった強硬な対策によって諸外国は対策のための時間を稼いだという理解との、どこか中間に妥当な解釈があるというのが今のところの印象である。しかし、国際的には感染が抑制されておらず、いったん抑制に成功した地域でもリバイバルがありうる状況の中では、起承転結は見通せない。現在は、まだ「承」の段階だろう。歴史家として、今回のパンデミックの歴史を書いてみたい気持ちがあるが、まだその時期ではない。インタビューも含め、「小さな歴史」を集めておくことにしよう。最後に、記録に残すという意味で、私は横浜の住民、マスクはまだ届かない(五月一二日)。

いいじま わたる 一九六〇年生まれ。青山学院大学文学部教授。医療社会史。『感染症の中国史——公衆衛生と東アジア』『感染症と私たちの歴史・これから』『高まる生活リスク——社会保障と医療(中国的問題群)』(共著)ほか。

ヤマザキマリ

# 我々を試問するパンデミック

## 問われる演説力

今年三月一八日、ドイツのメルケル首相が国民に向けて行なったテレビ演説は、日本でも大きな反響があった。COVID－19の感染拡大が進む中、戸惑う人々のひとりひとりに届くよう考慮されたその演説の冒頭で、彼女はまず首相としての立場から、今何よりも必要とされるのは、自分たちの政治的判断と行動の根拠の透明感であること、そして国民それぞれの知識の共有と協力によって成り立つのが民主主義であると説き、テレビ画面の前の視聴者に目線を向けて二人称で「あなたも真剣に考えてください」と語りかけた。

イタリアのコンテ首相も弁護士という自身の立場を踏まえて「法」を翳《かざ》し、国民の命と健康は何よりも優先順位で守られるべきであると告げて国民を納得させると、ただちに地域から国全体の一斉封鎖に踏み切った。

こうした欧州の首脳たちに問われる演説力は、古代ローマ時代においても民衆が主導者の資質を見極めるための基準としてきたスキルだが、どのような社会形態においても優れた演説の能力がある権力者に民衆を纏める力があることは、歴史を学んだ人間であれば誰でも知っている。欧州の子どもたちは小学校の低学年から弁論に慣らされていくが、教師の前にひとりで立たされ、自分の考えを自分の言葉で伝え、教師からの質問に臨機応変に答えるという訓練が、やがて政治家たちの演説や弁証を評価する力として鍛えられていく。しかし、日本においてはそのような西洋式の教育はまだ重要視されていない。

たくさんの人々が他国のリーダーであるメルケル首相の演説を褒め称えたその動機の背景に、政治家や専門家の言葉を伝えるメディアの報道に混乱を煽られ、やり場のない不安がつのる中、自分たちを励ましてくれる温度の通った言葉を求めていた心理が窺える。本来であれば、一国を率いる長には国民を激励し、結束させる責任があるはずだ。一方日本では、国民それぞれが個人的に拠所となる言葉をテレビやネットなどの情報ソースから見つけてきては、つのる不安の応急処置をしていくしかなかった。

私は三五年前からイタリアやその他の国々で暮らし、現在も家はイタリアにあり、家族もイタリア人だ。今は日本でCOVID−19と向き合い続けているが、家族から電話があると、毎回ほぼ自分たちの国における疫病被害の現状や、政府の対処や対策を巡る討論となる。家族は自分たちの国の惨状に絶望しつつも、日本での現状報告を同時にいぶかしむ。世界が同一の問題を抱えれば、そこに比較の意識が生まれるのは必然だ。そしてその比較で見えてくる他国との違いをこれからの自分たちの社会のために生かせるか、または必要の無いものとして扱うかによって、それぞれの社会の性質も違っていくのだろう。

## イタリアの場合

今年の二月、仕事でミラノに滞在していた私は、やるべきことを終えた後は普段通りパドヴァの家へ戻るつもりでいた。しかし教員をしている夫に、日本からの移動を含めそれまで不特定多数の人たちと毎日無意識に接触してきた私からの感染を懸念し、今回は戻ってこない方がいいのではないかと提案をされた。イタリアではまだ感染は報告されていなかったが、彼の言い分は正しいと思い、私はそのまま日本へ帰った。ところがその直後、数日前まで滞在していたロンバルディア州で初の感染者が見つかり、その翌日には我々が暮らす街パドヴァで初の感染死者の報告があった。翌日にはパドヴァの小学校から大学に至るまでの全教育機関が閉鎖となり、盛り上がっていたヴェネチアのカーニバルも中止となった。程なくミラノもフィレンツェも都市封鎖となり、中国からの飛行機の乗り入れは武漢の在住者の帰国便を除き全て欠航、パドヴァでは街に繋がる道路の随所に警官と軍隊が配置され、徒歩での外出ですら目的を記した証明書を携帯していなければ移動も許されない。まだウイルスの性質がほとんど何も把握できていない状況であるにもかかわらず、一人目の感染者が見つかってからの政府と国民の動きは迅速だったが、イタリアでの感染者数は著しく増加し、病床数や医療従事者、そして重症患者用の人工呼吸器の不足によって医療崩壊という現象が発生した。病院で看護師をしていた夫の従兄弟の感染が伝えられたのも、それから間もなくのことだ。

当初、イタリア国内の北部に集中してCOVID－19の感染が広がったその背景に、中国との関係性が密なイタリア経済の現状が思い浮かんだ。私がフィレンツェで留学をしていた三〇年程前から既にイタリアでの中国の経済進出の気配は目に見えて顕著で、郊外にある中世から革製品や布織物の製造産業地域として発展した小都市プラートには、中国人労働者たちのコミュニティが形成されつつあった。イタリア経済の脆弱化は中国企業の進出を活性化させ、現在イタリアに移住している中国人の数は約三〇万人で、その七割が北部在住とされている。イタリアで最初に見つかった感染者も、出張先の中国から戻ったばかりの友人と接触をした人物だったが、それは多くのイタリア人たちにとって意外でも何でもない顚末であり、むしろ自分たちも、無意識のうちにどこかで誰かから感染している可能性を危ぶむには十分過ぎる情報だった。

世界中のテレビ画面に、常に観光客で溢れているヴェネチアやフィレンツェ、ミラノやローマが無人化した稀有な光景が映し出された。ミラノが都市封鎖になる直前、南部へ向かう最終列車に駆け込む大勢のイタリア人たちの姿も報道されたし、財政危機の煽りで病院の集約や効率化を進めたために増え続ける感染者を受け止めきれなくなった医療現場や、家族に看取られることもなく亡くなった人たちの棺が、体育館のような殺風景な安置所に並べられている様子が毎日のようにニュース番組で取り上げられていた。COVID-19とは無関係であるはずの通常の死者数が例年よりもはるかに多いことに疑問を感じたジャーナリストが単独で調査をし、検査を受けられぬまま感染で亡くなった可能性のある人が二万人ちかくいることもわかってきた。

断片的な情報から発芽する様々な疑念の答えの多くが、それほど間をおかずに報道経由で戻ってくる。何が正しいのかそうでないのかは個人の見解で決めるしかないが、イタリアという国の短所も長所も成功も失敗もすべて筒抜けに報告される分だけ、民衆は消化不良な気持ちにはなりにくい。PCR検査を一斉に実施したことも、検査場に集まった人たちの間で感染が広がった要因として問題視されたし、大規模な医療崩壊を招くこととなった、従来からのイタリアの医療体制における難点が指摘された。しかし、そういった現状のあからさまな報道は、他国のその後の対策にも役立つデータになったはずだ。

## 相性は最悪だった

イタリアの惨状から世界の人々が感染理由の指標として着目したもう一つの点は、イタリア人の生活習慣である。イタリアを始め欧米では日本のように気軽にマスクを着用する習慣が無い。風邪気味の息子が日本から持ってきたマスクをつけて現地の学校へ登校したところ、教師からただちに外すよう指摘されたことがある。大袈裟な疫病でもあるまいし、風邪程度の病気でそんな物騒なもので顔を覆《おお》うのはやめなさい、と言われたのだという。では彼らが感染症を甘く見ているのかというとそれはむしろ逆で、私の義母などは、インフルエンザが流行り出す兆候があれば直ぐに薬局からワクチンを購入し、問答無用で家族全員に接種する。義母は長い間高齢者の親を介護してきた経験から、他の人より感染病に対しては若干神経質だとも言えるが、彼らはとりあえずマスクよりも免疫を優先する。仮にその後誰かからウイルスを移されたとしても、それもまた免疫を持つためのもう一つの方法と捉えている。マスクの着用は病気への敗北と屈服を象徴することになるし、弱者として周囲から距離を置かれたり偏見される可能性も発生する、という夫の見解も興味深い。

今から一〇〇年前、第一次世界大戦の最中に流行したスペイン風邪では、全世界で五〇〇〇万とも言われる死者が出ているが、夫の曽祖父もスペイン風邪で亡くなった。それだけの数の犠牲者がいれば親族に一人や二人この感染で亡くなった人がいてもまったく不自然ではないのだが、当時の写真を見ても、家族全員が皆白いマスクで顔を覆っていて、非日常的な物騒さが醸し出されている。死への恐怖感を煽る苦いトラウマとなってマスクの存在が人々の胸中に滞り続けてきた可能性は大きい。

一〇年前まで、イタリアの実家にはスペイン風邪の恐怖を生々しく語る一〇〇歳近い高齢者がふたり同居していたが、そうした家族構成もまたイタリアの感染死者数を増やす大きな要因となった。イタリアの高齢者率は二三%で、日本に次ぐ世界第二位の高齢化社会ではあるけれど、老人ホームのような施設は普及していない。倫理的な観点からも年老いた親を子どもが最後まで面倒を見るのは当然とする考えが定着しているからだ。しかしこうした慈愛が配慮された家族構成が今回のような感染症では裏目に出てしまう。例えば同居する子どもや孫が外からウイルスをもらってくるだけで、家庭内の高齢者は感染を免れられない。無自覚に、自分の愛する父親を死なせてしまったと、悲しむ息子の映像がテレビで取り上げられていた。

毎日の家族とテーブルを囲んでの対話や、日曜日に親族で集まって食事会をする習慣、スキンシップによる愛情表現といった日常が当たり前の国の人々にとって、今回のウイルスとの相性は最悪(ウイルスの立場から見れば最高)だったと言うしかない。

## 大きく異なった疫病観

パンデミックは古代から現代に至るまで繰り返し発生しているが、一〇〇年前のスペイン風邪も含め、イタリアでは記録に残るそういった過去の疫病の恐ろしさを、一般教育の段階で習得する機会がある。例えば一七世期に発生したペストの大流行の様子が記述されているアレッサンドロ・マンゾーニの小説「いいなずけ」は、中学校での国語の授業における課題図書となっている。ルネッサンスと称される文化復興の動きが活性化する直前の一四世紀に、二〇〇〇万人の死者を出した黒死病の大流行があったことを美術の授業時間に、絵画を通じて学ぶ機会もある。歴史の授業では歴代の疫病と社会の体制の変革との密接な関わりを学ぶ。パンデミックが人間の心理や経済にどのような影響を与える可能性があるのか、経験はしていなくても想像力は鍛えられる仕組みになっている。

紀元一六〇年半ばに発生した「マルクス・アウレリウス・アントニヌスのペスト」と称されているパンデミックは、パルティアとの国境まで遠征していたローマ軍の兵士たちがペスト・ウイルスに感染し、彼らのローマへの帰還が発端となって推定一〇〇〇万人以上の死者が出たとされている。これによってローマの経済は機能が停止し、人口の集中する都市部は深刻な食糧難に陥った。ローマの軍隊を司る兵士の数も減少したことでスコットランドからシリアのユーフラテス川沿岸といった遠方の属州にまで監視を行き届かせることが困難となり、この機に乗じて北方からはゲルマン民族が攻め込んできた。ローマは疲弊し、大国としての信用と自信を失った。かろうじて社会の舵を取りつつもパンデミック終息後には自己顕示欲しかない愚帝が権力を摑み、民衆の間ではキリスト教の信者が増えるという現象が起こっている。歴史家の中にはこの「アントニヌスのペスト」を、ローマ帝国衰退の発端として説く人もいる。

第一次大戦の最中に発生したスペイン風邪もまた社会を弱体化させ、人々は生き延びるための精神の拠として、復興への強い思想と演説によって圧倒的なカリスマを備えたヒトラーやムッソリーニのような人物を信望しはじめた。人々から自分で物事を思考する力を奪い、神や指導者などへの信奉に自分の命の責任を委ねる心理を発芽させるパンデミックの性質は、こうした歴史の中からも認識できる。

欧米の美術館には、一四世紀の黒死病大流行の際に疫病を神の天罰と捉え、キリスト教的な解釈による地獄絵図として描かれた絵画がいくつも残っているが、それらもまた、今でも見る人を疫病の恐怖に震撼させる効果を持った、歴史から学べる教訓だ。

だが日本では、疫病がそのようなアグレッシヴさで表現されることはほとんどなかった。例えば、平安時代後期に融通念仏宗を起した僧侶である良忍を描いた絵巻の中に、妖怪のような姿で描かれた疫病が念仏を唱える寺院の門に押し掛けているという情景が描かれている。彼らは門番から念仏を唱えている人の名簿を渡され、そこに名前が記されている人には悪さはしないとサインをして立ち去っていくのである。和解が可能な疫病の絵に、人々が恐怖心を煽られることはないし、そもそも教会や宮殿など公衆の前に掲げられる油絵やフレスコ画と絵巻とでは媒体力としても大きな差は出てしまう。

先日テレビ番組でご一緒した歴史家の磯田道史さんが、日本では戦争や震災のように風景の変わる事象以外は、たとえ五〇万人もの死者を出したスペイン風邪であろうともその記録は残さないという特徴があり、だから日本人は感染症の惨事は忘れてしまうのではないかと話をされていた。とすると、日本での疫病はそれほど恐ろしい事象として捉えられてこなかったと考えることもできる。

ウイルスを敵と見做《みな》したり、パンデミックを戦争と置き換える考え方を、旧約聖書に根付く人間至上主義的な解釈を根拠においたものだとすると、融通念仏絵巻の門番に説得され、納得して退散していく物分かりの良い疫病は、自然現象との共生を諭す日本的な表現だと言えるかもしれない。西洋のようにパンデミックを巨大な鎌を振り上げる恐ろしい骸骨の姿に置換えて気構えるのではなく、ウイルスとのなるようにしかならない共生という考えが、もしもこうした非常時の対策を考案する人々の意識下にあるのだとわかれば、国民も不安感や不平不満をため込むかわりに、自分で自分の命を守る判断力を強く持つことができるようになるのではないか。そんなことまで考えてしまう。

## どちらの道を選ぶのか

不安が発芽すれば即座にその種を摘み取るという生き方をしてきたイタリアの家族にしてみれば、ＰＣＲの一斉検査も、都市封鎖も、医療崩壊も、感染者とカウントされない膨大な数の死者も、経済的なダメージも、すべては自分たちが納得した対応の上での結果なのだから、責任を持って受け入れるしかないと言う。失敗や挫折も無駄は無く、自らの愚かさを認めることもまた生きる糧になるという彼らの意識は、自国を客観的に揶揄したり自省したりする報道が多いことからも見えてくる。そんな彼らにとって、政府の対応や統計で出される数値にも推察要素が多い日本の対策に対し、イタリアの家族は不信感を抱いて私と口論になるが、政府と専門家、メディアと一般人の意見と憶測が錯綜して焦点が定まらない私には、彼等に理解してもらいたい言葉をまだ探し出せていない。

感染病対策で経済活動が抑えられてヴェネチアの運河の底や、数百キロの距離から遠望できるようになったヒマラヤの山々のように、ＣＯＶＩＤ－19には、普段は実態を覆い隠している濃厚な霞や濁りを払拭する力があるが、人間社会もまたそれと同じように本質が晒された状態におかれている。そして我々はといえば、自分たち人類の性質や生態と、そこに形成した社会の有様を、どこまで奢りのない意識で客観的に理解できているのか、ウイルスによって問い質されているように思えてならない。

メルケル首相の言葉通り「国民それぞれの知識の共有と協力によって成り立つのが民主主義」であるのなら、人類の歴史上において何度となく繰り返されてきたこの疫病による混乱も、そして終息後の世界も、今までとは違う水準のものに変化していく可能性があるはずだ。個人の意識と行動力次第だが、逆に自分の頭で考えた言葉を持たず、政府や権力者の判断や指示のみに縋《すが》って生きていく方向を選ぶのであれば、そんな展開への妄想は抱かないほうがいい。

二世紀のアントニヌスのペストや前世紀のスペイン風邪のような国力や社会衰退への顛末を歩むことになるのか、それとも一四世紀の黒死病大流行を経て文化も経済も繁栄を極めたルネッサンスのような世界を迎え入れることができるのか、その答えもまたこのパンデミックが教えてくれるだろう。

やまざき まり　一九六七年東京都生まれ。漫画家・随筆家。東京造形大学客員教授。『テルマエ・ロマエ』『オリンピア・キュクロス』『ヴィオラ母さん』『パスタぎらい』『プリニウス』(とり・みきと共作)など。

## ドイツの事情

### 多和田葉子

新型コロナウイルス感染が広がり始めてから毎日入ってくる新しいニュースを追うだけで必死で、いつの間にか遠い未来を考えることができなくなっている。これは危険な精神状態だと思う。ニュースは現代を毎日薄切りにして投げつけてくるだけで、歴史的つながりが見えてこない。

ドイツでは、メルケル首相がコロナ危機への対応によっていつも以上に国民の信頼を得ている。なぜ、どういう政策をとるのかを明白にその都度わかりやすく落ち着いて説明してくれるからだろう。彼女の演説には、物理学者としての冷静さと、子供たちを守るためなら何でもしようというお母さん的な強さと温かさが感じられる。

ある国の政治がめざすものと実際の政治の間にはもちろんずれがある。しかし少なくとも今のドイツがめざしている社会の未来像がはっきりしていて、それに賛成できれば、住んでいてよかったということになる。わたしもドイツで暮らし始めてもう三八年になる。

なぜシャットダウンするのかについてのメルケル首相の説明は、若い人は感染しても症状が軽いことが多いが、感染が広まれば病人や老人が命を落とすので弱者を守るためにみんなで協力しよう、というものだった。日本では「自粛」という言葉が使われているようだが「誰のための自粛か」は曖昧なままだ。「欲しがりません、勝つまでは」は典型的な自粛の標語だが、それが侵略戦争のためだと知っていたら国民は自粛しただろうか。

ドイツでは小売店、零細企業、アーチストなどに経済的支援が出ることが早い時期に発表された。文化大臣の「芸術は生活必需品である」という演説にジーンときた人もいただろう。援助の対象になるのはコンサートや公演やイベントがキャンセルになった音楽家、俳優、作家などである。

しかし、しばらくすると大企業も経済的支援を受けられるという話になった。そしてシャットダウンはなるべく早く緩和するべきだという経済界からの声がどんどん強くなっていった。ドイツの今の政治は、何が大切なのかという理想をまず国民に見せて、そこから現実に徐々にフィットしていくというやり方だ。まず、人間が大切、弱者が大切、芸術が大切、ということがはっきり誰にでも理解できるかたちで示される。そのあと徐々に資本主義の経済原則への順応が稼働し始める。福島原発事故が日本で起こった時にメルケル首相がすぐにドイツの脱原発を宣言したのもそのいい例だろう。あの時も、科学者として、そして人間としての彼女の判断がストレートに政治に反映された。あれから一〇年近くたった今、ドイツの将来が本当に原発ゼロになるのかどうかが二〇一一年の時点と比べると多少怪しくなってきている。それというのも新型コロナウイルスよりずっと寿命の長い原発ロビイストというウイルスが世界に蔓延しているせいだろう。しかし脱原発をめざすという初心は失われていない。難民問題についても、メルケル首相はまず難民はすべて受け入れるという方針を打ち出し、後に反対派との議論の中で、難民受け入れを制限する方向に進んでいった。制限すると言っても受け入れている難民の数は日本とは桁が違う。最初に理想を打ち出し、そこから現実に適応していく過程がすべて国民の目に見えるので、不満は残ってもどこか安心感がある。むしろ全く妥協なしに一つのイデオロギーが独裁的に実行されていくのでは、フランス革命後の恐怖政治やポルポト政権のようになる危険がある。

メルケル首相は科学者の意見に耳を傾けて政策を決め、その際、どの科学者がどういう見解を出したか、それがどのように政策につながったかなど、手の内をすべて見せる。ドイツはウイルス学のメッカで、ロベルト・コッホの名を掲げた有名な研究所の他にも大学などに複数の優秀な研究機関があるが、ウイルスへの具体的な対処法などの研究はシンガポールなどに比べると意外に進んでいないそうだ。「伝染病は南半球の問題だ」という驕りがあったという反省から、グローバル化された時代には地球のある場所に発生したウイルスはどんなに離れた場所にもすぐに運ばれるという認識のもとに、これからはウイルス学、免疫学が実生活に直接関わる学問としてドイツでより重視される可能性があるとラジオで言っていた。

見直されたと言えば、シンガポールだけでなく、台湾と韓国への評価が高まった。ドイツがまだおろおろしていた時期にするべき事を素早く判断し、実行したからだ。スイスの新聞は感染死者の少ないベトナムを誉めていた。スイスのように裕福な国がベトナムに敬意を示すのもパンデミックのもたらした一つの小さな転機かもしれない。これまでドイツではアジアと言えば中国と日本の話が多く、他の小国のことは意外に知られていなかった。ドイツに留学していた台湾人の話だと、どこから来たのと訊かれて、「タイワン」と答えると「タイですか」と聞き返され、そもそも台湾について知っている人が少なかった。これを機会に台湾の存在が意識されるようになったかもしれない。

それに比べて日本のコロナ政策はほとんどドイツに伝わってこない。オリンピック延期の話と、マスクが二枚ずつ配られたが不良品だったというニュースだけでは何を考えているのか推測もできない。ブラジルやトルコやアメリカ合衆国などのネガティブな例も含めて、他の国がパンデミックとどう闘っているのかについてのニュースは多いのだが、その中で日本はひどく影が薄い。これは日本の側に他国と情報交換しようという気持ちがないからなのか、あるいは日本人にも日本政府のやろうとしていることが見えないのか、その辺の事情はわたしには分からない。日本の知人たちからは、「みんな暗くうち沈んでいる」という話を聞いた。危機が訪れるとうつむいて黙ってしまうのも日本の特色かもしれない。ドイツは困ったことが起こるとみんながワイワイ議論を始める。新型コロナウイルスのせいで世界が変化するというよりは、それぞれの文化の特色がより濃く出てきたという気がする。たとえば感染が始まるとハンガリーやチェコはすぐに国境を閉めたが、移民問題についてEU内で揉めていた時すでに、できれば閉めたいと思っていた国境をこれはいいチャンスだと言わんばかりにすぐ閉鎖したという印象を免れない。またスウェーデンはまわりの国に批判されてもシャットダウンを拒み、あくまで個人の判断に任せるという政策をとった。政治的見解の差だけでなくEU内の経済差もはっきり現れ、ギリシャなど経済的に元々苦しかった国ほどパンデミックによる経済的打撃が大きい。そういう国をどのように助けるかという点でドイツと他の国の間で意見が割れたりもした。しかしヨーロッパ内に戦争の気配は全く生まれなかった。政策は違うが情報を交換し合ってできるだけ協力しようという雰囲気で、そういう意味ではヨーロッパの未来は明るいのではないかと思う。トランプ政権と中国の対立が深まっているとしても、それはコロナのせいではない。目に見えないウイルスが、世界の状況を目に見えやすくしてくれたのかもしれない。だから、パンデミックによって世界が変わってしまったというよりも、パンデミックのおかげで把握しやすくなった今の世界をわたしたちがこれからどうしたいのか、ということではないかと思う。

ドイツでは社会のどこを直していくべきかが毎日議論されている。たとえば医療について言えば、米国などと違ってドイツではどんなに貧しい人でも基本的には保険制度に守られているのでその点は安心だが、問題が全くないわけではない。たとえば絶対に必要とは言い難いコストの高い手術を私費で受ける患者たちを優先し、そこから得られる収入に経営を依存していた病院がいつの間にか増えていたことが今回明るみに出た。そういう病院は急にコロナ患者を優先的に受け入れなければならなくなって、すぐに経営難に陥った。また看護師の労働条件が悪く給料が少な過ぎることも問題になった。医療機関が利益だけを追求していくのを許せば、自分がウイルスに感染した時に入院できなくなるかもしれないということが一般人にも実感できた。

今回の危機を契機に多少は良い方へ向かうかもしれないのが環境問題である。ベルリンからバルセロナへ日帰りで遊びに行く航空券などが安価に手に入るようになり、多量の飛行機が空を汚染しているという現象にはみなが心を痛めながらも誰も止めることができなかった。それをコロナがぴたっと止めた。また空気を汚す旧式の自動車でも企業がそれを生産したいとなると誰も止めることができなかった。今、航空会社や自動車会社に経済的援助を与える際に、政府は条件を付けるべきだと緑の党を始め環境保護主義者たちは主張している。利益だけを追求する企業は社会のためにならないのだから国の予算から援助を与える資格はないということだろう。もしある程度この意見が通れば、コロナウイルスは少なくとも地球環境にいい影響を与えたということになる。また今回のパンデミックは、環境を重視する政策をとると、経済的にどのくらいマイナスが出るのか、それは一般市民がひどい打撃を受けるほどひどいものなのか、それとも社会が背負っていける程度のものなのかを憶測ではなく、「実験結果」として残せるチャンスでもある。

パンデミックは幸い、国家間の戦争ではない。逆に、すべての国が協力しあって解決しなければならない問題である。コロナウイルスは常に姿を変えながら国境を越えて広がっていく。現実のウイルスは恐ろしいが、メタファーとしてのウイルスは尊敬に値する。人間の言語や思想も、ウイルスに負けないくらい自分を変えていける能力を持ち、国境を越えることができなければ、パンデミックを乗り越えることはできないのではないかと思う。

たわだ ようこ　一九六〇年東京生まれ。小説家、詩人。八二年よりドイツで暮らす。『穴あきエフの初恋祭り』『地球にちりばめられて』『言葉と歩く日記』など。

## ロバート キャンベル

# 「ウィズ」から捉える世界

### コロナ禍は時間の災害

新型コロナウイルスの感染拡大は、他の災害と違って、すぐに体に何か異変が起きたり、傷がついたりするわけではありません。水害や火災のように住空間が破壊されたり、奪われたりすることもない。そうした具体的な恐怖を感じづらいのです。

たとえば、地震は、目に見えて色々な物を揺らしたり壊したりするから、被災地にいなくても私たちの感覚に直接訴えるものがある。瓦礫と避難所の映像が流れると、そのつど心を寄せ、あるいは慄然とさせられる。しかし、ウイルス感染で覚える恐怖は、それとはまるで違います。感染した当事者やその家族、接触者などであれば別ですが、それ以外の人には、共有されにくい性質があります。

仮定法的、とでも言ったら良いのでしょうか。罹ったらわたくしは重症化するんじゃなかろうか、とか。症状がないだけで、すでに自分も感染しているんじゃないか、とか。だったらどうしよう、という「what if」が文頭に来るような類の曖昧な恐怖と言えるかもしれません。

わたくしの妹は、アメリカ・ニュージャージー州の病院で働いています。彼女が毎日座っているオフィスの窓の外にはPCR検査のテントが張られ、重症化した患者は日増しに増え、けれども当初から医療スタッフには十全にマスクが行きわたっていない。罹患した二人の同僚が、すぐ側の病棟に運ばれ懸命の治療を受けていたけれど、亡くなってしまったという悲報を受けました。妹は、自分の身体や周囲の空間などに見て分かるような傷も苦痛も何もないと言いますが、つねに負けん気の強い彼女のメッセージからは毎日少しずつ、覇気がなくなっていくのを感じています。

母方の祖父は、定年を迎えるまで毎朝ブロンクス地区からマンハッタンを縦走する地下鉄の先頭車輛に乗り込み、巨大な鉄の塊を運転していました。夜、へとへとに疲れて帰って来る姿をよく見かけたものです。真鍮のブレーキハンドルと長いカギをゆっくりと鞄から取り出してはタオルで拭き、また鞄に戻す日々。わたくしの手許に残っている一個の金の指環をはめてみると、どの指からも直ぐに落ちてしまうほど手の大きな人でした。

ニューヨークの地下鉄は、毎晩消毒するために、開通以来一一五年ぶりに、深夜の運行を停止しました。午前一時から五時までの間、乗客が九割近く減って、運転士をはじめ市の公共交通機関職員の間で一〇〇名近くの方が、この度のコロナウイルス感染に斃れたことも、夜間閉鎖を決断させる背景にあったそうです。祖父の世代からは、はるかに後輩になりますが、光りが届かない場所で大都会を支えるおおぜいの運転士たちの不安を思うと、胸が痛みます。

ウイルス感染が街を覆う日々の中で、自らの命を時間の流れとして実感する瞬間が何度もありました。ニュースを見ながらその流れが進んだり、また堰き止められたりするような不安なうねりを覚えたこともあります。何も空間が変わるわけでもないし、すぐに何かが自分に起こるわけでもない。それでも、コロナウイルスの蔓延は、私たちから、確実に少しずつ何かを奪い去っていきます。

疫病は、瞬時に流れを堰き止め、壊し、世界を荒涼とした景色に激変させるものではない。その代わりに、ものごと、やがて自分の何かをも元へ戻れない形へと変質させてしまう。新型コロナの感染拡大は、時間の災害なのだと感じています。

## 「平等な弱さ」のもとに

いま多くのみなさんがSNSに夢中です。わたくしも同様。朝も夜も、膨大な量の言葉のやりとりがそこらじゅうで飛び交っています。それはもう天文学的な数に違いありません。SNSで行き交う情報の多くはのっぺらぼうの無記名ですが、こののっぺらぼうが悪さをする。共通の獲物を見つけると、ただちに結びついて攻撃を仕掛けます。「あるある」の渦を作り、ひとりでは無力なのっぺらぼうでも、ひとたび集団化してしまうといじめにいそしみ、「群れをなす空気」として存在感を示すのです。

世の中は答えを早急に求めがちです。ネットや記者会見などはよってたかって糾弾の場となり、わたくしはそこに人の過ちを赦すことのない不寛容の影を感じるのです。

この数年、世界的にポピュリズムが顕在化してきました。分裂を「燃料」とした政治的な覇権争いや、自らの支持層に対抗するものへの根拠なき攻撃が浮上しています。トランプ氏の二〇一六年米大統領選での勝利や、ブラジルやハンガリーでの自国第一主義を掲げるトップの登場、英国の欧州連合離脱なども、こうした文脈にあると考えます。アメリカでは今年五月末、白人警官が無抵抗の黒人男性を一人、首を膝で九分間近く押さえながら窒息させ、殺害しました。居合わせた市民が一部始終を記録した動画を公開すると、各地で長年にわたって続いてきた黒人に対する警察の暴力行為や、それを可能にしている治安維持の法制度への抜本的な改革を訴えるデモが発生し、長期化しています。デモの参加者の中には略奪などの犯罪をおこなう者もいます。しかしそれらはごく少数の一部であり、大統領と、大統領の再選をめざす選挙運動組織が主張するように、デモ自体がアンティファという極左組織によって煽動されているという事実は見いだせません。アンティファという「組織」自体が存在しないことに加えて、連邦刑事法で逮捕された者の大多数は個人として犯行に及び、何ら政治的な背景を持たないことがその後の調査で明らかにされています。(1)

不都合な事実は「フェイク」とされ、川や原野がひとつながりに結ぶふたつのコミュニティを、あえて壁を作って隔てさせるのが権力の構造です。「こちら」と「向こう」との絶対的な差異を描き、際立たせ、発信して、権力を引き寄せ増大させるのですが、受け止める側のアイデンティティは所詮、壁の高さや見劣りする「向こう」との明白な違いと距離を確定させることで保たれるものですから、一見堅固なようですが、実は脆いものなのです。

コロナ感染の発生以来、世界中の国境は閉鎖され、難民たちの動きがいっそう厳しくなる一方、人々を隔てさせる実際の壁も柵もしばらく建設が止められているらしい。代わりに言葉の壁が各地で積み上げられようとしています。

残念なことに、日本語でも見られることです。二〇二〇年の春から、日本が重症者や死者の数を欧米先進国と比べ、桁違いに少なく抑え続けていることは様々な意味で注目すべく、評価すべき達成で、その達成の要因を検証し共有してこそ、今後も感染拡大に苦しむであろう世界各地の人々に連帯の証しとして、あるいは疫学の実践においても歓迎されるに違いありません。

ところがそういった達成を日本の政治家は「民度」の違いという一言に集約してみせました。(2)「民度」とは、一八七〇年代の終わりから現れ、和製漢語と考えられる言葉です。(3)二〇世紀初頭から「タミノチカラのホドアヒ」《新編漢語語辞林》一九〇四年、青木嵩山堂刊、「人民の文野又は貧富の度合」（『辞林』一九〇七年、三省堂刊）という具合に、日本語辞書に載録されます。以来、終戦にいたるまでは、アジア諸地域の経済状況や文化的に低い「度合い」を考慮しながら、日本の教育と法整備を適合させ、導入すべきだという文脈で使われることが多かったのです。また戦後でも、やはり自国と異なる人たちを能力の劣る下位に置くことで、自らが高みにあることを表現する差別的な文脈で使われることが度々見受けられます。おそれずに述べると、長い間、社会の中でくすぶり、幽霊のように死にきれない「民度」という一語は、今回も事象を多角的に検証しないといけないのに、曖昧な上に相手を疎外する言葉の「越えられない壁」として出現したのです。その背景には、分裂を煽ってはばからない、ここ数年間の世界的な傾向が働いているように思えます。強さを強調するつもりが、かえって「向こう」にいる人々の不信を買い、損失を招きかねない例として考えるべきでしょう。

ウイルスの感染に肌の色や性別や人種、お金の有無の区別はありません。どんな背景を持つ人でも、みな新型コロナウイルスには感染する可能性があるのです。「弱さ」は人間共通であり、力の度合いを誇り合うのではなく、この「平等な弱さ」から我々は何を引き出すことができるのかを考えることが求められています。

私事になりますが、在宅勤務が続くことで、不便や不安なことも色々ありますが、良い方向に向かおうとする変化も感じられました。家という限られた空間に長くいると、一緒にいる人や生き物、植物も含めて、これまで以上に向き合わざるを得ないというか、向き合う機会になります。そうすると、たとえば一日の中でもいろんな感情のトーンがありますが、これまでとは違うものが表われます。ふだんどんどん進む作業をもどかしく思ったり、急に怒りっぽくなったりすることもあれば、一方で、なんでもないときに、パソコンを叩いているパートナーを後ろから見てわけもなく感動したりすることがあったり。すべての人に共通している「弱さ」、街を歩きながらそんなことを思うと、淡々と自分や自分の家族を守ろうとしているおおぜいの通行人がいとおしく感じられるような不思議な瞬間がありました。

新型コロナに対抗するためには協力や連帯が不可欠です。人が動きやすい、協働しやすい仕組みを社会の中でどう作り、根付かせるのか。そうした問いに応える行動を、今回の危機から見いだしたいと個人的には思います。

## 共同の経験知としての古典籍

わたくしが館長を務めている国文学研究資料館(国文研)は、全国の大学共同利用機関として大規模なデータの集積、整備、発信をしています。また、館内にある数十万点の文芸や歴史史料、あるいは新日本古典籍総合データベースという、高精細画像や書誌データなどを検索するための仕組みを用いて様々な共同研究を行なっています。新型コロナの影響を受けて四月からは閉鎖していました。

国文研の資料を見ていると、過去の書物には、社会が天災に遭遇したときに、その中でお互いにどう守り、コミュニティをどう再生したかという経験が多く記録されていることに気付かされました。

感染症についての文献も多く残されています。戯作者《げさくしゃ》の式亭三馬には、享和三年(一八〇三)に江戸を襲ったはしかを描いた『麻疹戯言《ましんきげん》』という小説があります。そこでは「うめきながら、彼らが飲むもの、食べるもの、まるで味がしない。ひとりぼっちで体調が回復するまで一二日間を、指を折って布団の中で待つ以外ないのである」とあります。当時、感染症は二〇〜二五年に一度、人生で二、三回は経験するものでした。感染症の怖さを肌感覚で知っていて、どう体作りをするか、どう衛生状態を保つか。人々は出版物や講談などを通じて情報共有していたのです。文政七年(一八二四)に再流行した際の『麻疹瘖語《ましんせんご》』には、芝居も遊廓も営業停止にした江戸の様子や、客が来ず生活できないという人々の嘆きが書かれています。二〇〇年前の日本人が、驚くほど今と似た状況に直面していたことがわかります。

安政五年(一八五八)のコレラ流行について書かれている『安政午秋《あんせいうまのあき》/頃痢流行記《ころりりゅうこうき》』には、夫が体調を崩して働けなくなり、無理をした妻が先に亡くなるという話があります。困窮しているところを町内の人が見かねて葬式の費用を出すけれど、妻は残した夫が心配だと亡霊となって夜な夜な出てくるのです。ある種の奇談ですが、人はひとりでは生きていけないということが示唆されています。当時から、感染症は社会全体で乗り越えないといけないという認識でした。古典は、共同の経験知の集積であって、その意味では、私たちにとって大事な資源なのです。

また江戸時代の後期、天保年間(一八三一年~四五年)には、大雨による洪水や冷害によって、全国的な飢饉が起こります。いわゆる「天保の大飢饉」ですが、その時に出された『豊年教種《ほうねんおしえぐさ》』という書物があります(天保四年(一八三三)刊)。この中に、当時の人々がお互いに助けあう時の心がけについて記述された箇所があります。お米のある人がお米を持ち寄って、ない人に向けての炊き出しをする。困窮している人をどのように助けたらよいのか。「飢えたる人に粥を施すには尤も恭しく謹みて与へよ。必ず必ず不遜《ぞんざい》にして人を恥づかしむべからず」とあります。その人が困っているのは天災だからであって、自分のせいではない。明日はあなたが困窮するかもしれないのだから、という意味のことが書かれています。

「隠徳あれば陽報あり」という言葉があるように、人に施しを与える、誰かを助けたりすることは、周りの評価などを期待しないで、淡々とシェアしなさいという文化が、江戸時代にはあるわけです。それは今でも日本の文化に生きていると思います。自分の名前を出して、これだけのことをしていると主張するような人については、恥ずかしいというか、悪目立ちしているのではないか、といったプレッシャーがかかる。でも、逆に、今はそこは変えていくべきではないかと考えます。

東日本大震災以降、あるいはその少し前から、日本でもボランティアの文化が広がり、浸透しました。実際に多くの若い人たちが、被災地に入り込んで活動されました。現地に赴くことも重要ですが、現地に行けなくてもできることは沢山あります。「このプロジェクトを信じるから自分は寄付をしたけれども、あなたもどうですか」というように、もっと気軽に、お互いに呼びかけ合えるような状況がつくり出せないか。寄付をすることで自分を拡張する、自分を新しく何かにコネクトしていく、そういう意識が大切ではないでしょうか。今回のコロナ禍を通して、新しい感覚を育てることができるような気がしています。そのための一歩として、寄付やボランティアは特別なことだし、ちょっと違う、恥ずかしいなと思う気持ちを無くしていきたいです。

## 真のソーシャル・ディスタンスへ

大規模災害など非常時のさなかや直後には、一時的に連帯感や高揚感が高まってモラルも向上し、今後の社会をより良くしようという意欲が湧くとされています。新型コロナが終息したとき、私たちは社会に何を残せるでしょうか。パンデミックの状況にある今から手を着けておかないと、喉元を過ぎれば熱さを忘れてしまう。社会のどこをどう良くしたいと感じたのか。不便や不安を極めた状況で、どんな種を見いだして意識や制度を変えていくのか。尊い命が失われ、経済的にも大変な価値が損なわれました。人々の努力に応え、喪失感を埋めるためにも、一つでも二つでも変えるきっかけが生まれればいいと思います。

いま私たちは、ソーシャル・ディスタンス（社会的距離）を保ちながら連帯感を築くという二律背反に直面しています。子どもに朝食を食べさせ登校させられない一人親世帯、手を挙げて「困った」と言いづらい人たちがいます。普段から声を出すといじめられる、浮いてしまうと感じている人たち、社会文化資本にアクセスできないような立場の人は、現在のような状況では、適切なタイミングで声を挙げないと命にかかわります。

ひとりになってしまって話ができる相手がいない状況が、一番の弱者ではないでしょうか。自分が悪いわけではないのです。頑張っているのだけれども、なかなかその状況から抜け出すことができない。困ってしまうと、どうしても自分というものを閉ざしてしまう傾向に、私たちはあるんですね。でも、そこはぜひ聞く耳を持つ相手を探して欲しいですし、私たち一人ひとりが、明日は誰かを助けられるかもしれない、そういう自分になりたいという気持ちを持つこと、持てる環境をもっと整えていくべきではないでしょうか。

隣で感染が広がれば、自分にとってもリスクです。一緒に立ち向かっていかないと、新型コロナウイルスには勝てない。数日姿を見ない人、一人暮らしのお年寄りなどに声をかけていくことが大切だと思います。

新しい生活様式は、私たちの感性を変え、日々の行動パターンも変えていくでしょう。らせん階段を上るようにして、私たちは色んな角度から新たな景色を迎えるはずです。社会の変化をくみ取り、新たなビジネスを世界に打ち出すチャンスかもしれません。若い人にはアイデアがあるし、わたくしの知る限り、もう考え始めている人もいます。

ソーシャル・ディスタンスは、今はまだ物理的な距離として考えられていますが、社会の中の自分自身の位置づけを知る、自分の居場所から他者との関係を見つめ直すことだとも捉えたい。一人ひとりの資質、意欲によって、自律的に能力を発揮できる社会をいかに整備できるか、そこが問われています。女性の活躍の場を広げる、様々なセクシュアリティのあり方を認め合う、今後も増えると予想される外国人と共存していくなど、課題は山積しているように見えますが、一方でこの半年間に味わった経験の中には、大きなチャンスが芽を出そうとしているように思います。

それぞれが、その人に合った適切なソーシャル・ディスタンスを保持しつつ、他者の喜びや痛みをフェイクではなく確かな事実として理解するような連帯感に溢れた社会、そういう未来を是非迎えたいものです。

(1)"Federal Arrests Show No Sign That Antifa Plotted Protests," New York Times, 二〇二〇年六月一一日。
(2)「少ない死者「民度違う」麻生氏コロナで欧米と比較」『日本経済新聞』二〇二〇年六月五日。
(3)陳贇「「民度」――和製漢語としての可能性」『関西大学東西学術研究所紀要』二〇一二年四月。

Robert Campbell　国文学研究資料館館長。東京大学名誉教授。日本近世・近代文学専攻。『井上陽水英訳詞集』『東京百年物語(全三巻)』(共編著)ほか。

## 近さと遠さと新型コロナウイルス

根本美作子

父が亡くなった数日後だったと思う。悲しみに浸っているはずが、妙な感情に心がざわつぃた。力強いその感情に当惑し、注意してみると、それは怒りだった。父に対する怒りだった。簡単に言えば、「なんだ、死んじゃったりなんかして、ふつうの人にすぎなかったんじゃん」、存在していたものが存在しなくなるという圧倒的な経験に慣れはじめると同時に、いつのまにかそんな非難を心のなかで父に向けていた。

わたしにとってかけがえのない人であった父は、死ぬことによって、父もまた一人の人にすぎなかったということを教えてくれた。

自分もまた一人の人にすぎないということ、地球上に何億といる人の一人、これまで地球上を過ぎていった何千億、これから過ぎていく何千億の人の中の一人にすぎないということを実感することほど、人間にとって難しいことはない。それほど近さの原理が人間の感性と知性を支配している。近ければ近いほど、そのものは特別で、絶対的で、大切だ。そして自分に最も近いものは自分だ。

＊

新型コロナウイルスは自分もまた一人の人にすぎないという原則をつきつけてくる。もちろんそこに人間社会に固有なさまざまな付帯条項があっというまに付随してきて、たとえば手を始終洗ったりすることのできない野宿をする人や、レジでたくさんの人と接触をしなくてはならないレジ打ちの仕事をしている人と、大学教授で普段とそれほど変わらない生活を隔離状態でつづけながら、オンライン授業をどうすればいいのだろうとぼんやりと考えている人では、ウイルスを前にして同じ一人の人にすぎないと言い切れない事態が派生してくる。

それでも原理原則として、世界中でどの人もいま、自分はほかの人と同じように新型コロナウイルスにかかって死ぬ可能性があるということを認識し、ウイルスを前にして、自分もまた単なる一人の人にすぎないということを理解しているだろう。我が国の首相や、一部の極端に想像力の欠けている国家元首を除いた人類の大半が、いま、死の恐怖を前にして、結びついている。もし自分も他の人と同じようにウイルスにかかるかもしれないという意識で人類に結びつくことができていない人がいるとしたら、自分の近さの呪いから早急に解かれるよう想像力を鍛えるべきである。

今回のこの悲劇は、人類という共同体の輪郭をはっきりと浮かび上がらせた。それは共同体性が、頭で理解できるようになったというだけではない、それが、現実として体験できる、そういう経験としてまず今回の危機をしっかりと捉えたい。

*

ピエール・パシェというフランスの作家をわたしはずっと研究しているが、彼のもっとも稀有な特徴は、個人というものの重みを損なうことなく、個人個人がみな同じたんなる一人の人にすぎない、le premier venu（どこにでもいる人）[1]にすぎないということをつねに念頭に置こうとしつづけた点だ。彼の作品は、この徹底した民主主義を語り続けている。

彼がこよなく愛した哲学者シモーヌ・ヴェイユによれば、人間は神のイマゴ（imago）として自分を「世界の中心に位置していると想像している」。けれども人間は神ではないのでこの想像は幻覚にすぎない。だから「この想像上の中心の位置」を諦めよとヴェイユは説く。それも「頭だけで諦めるのではなく、魂の想像的な部分で」、そうすれば「現実に目覚めることができる」というのだ。「想像の中で世界の中心であることを諦めること、そして世界のすべての点を中心として見極めること」[2]、この不可能な精神訓練をパンデミックは束の間、可能にしてくれているのではないか。もっとも自分に近い自分を、遠くのものとして据え置くこと。近さの原理を攪乱する力をパンデミックはもっている。その意味で革新的な危機なのではないか。

＊

数字の脅威と毎日直面するのが、まずそのいい訓練になる。日々増えていく感染者数、死者数、そこから割り出される死亡率。年齢別の重篤になる率、さらにその死亡率。多くの人間が、自分はそれほどの死亡率ではないと胸をなでおろす。しかし近さのもたらす幻覚から目を覚ませば、その二パーセントのなかに自分は入らないとは誰にも言えないのだ。特別な存在として感じられるこの自分もまた数字に含まれる誰かにすぎない。しかしそれだけでは足りない。ヴェイユの言うように、自分の中心性を麻痺させるだけではなく、世界のすべての点を中心として見渡すことが必要なのだ。遠くの人も、自分と同じようにかけがえのない存在であるということを感得することは容易ではない。そこにはヴェイユの言うように「魂の想像力」が必要なのだろう。

新型コロナウイルスが私たちに見せつけてきたのは、この人間の遠近に対する限界でもある。危険が間近に迫ってきてはじめて人間は危険を自分のものとして、現実としてとらえることができる。いくらウイルスは人間を差別しないとわかっていても、アウトブレイクが中国やイタリアという遠い国で起こっている限り、人の想像力は麻痺し、自分も死ぬ確率はあるけれども、それはまだ数字にすぎず、私という人の問題ではないと思ってしまう。

＊

各国の対応はその点できわめて興味深かった。自分の本当に足元まで危機が迫らないと反応できない国が、あまりにも多かった。台湾や韓国、シンガポールの例は、政治的想像力を駆使した見事な例だった。しかし、日本のように近くにいながらいかなる想像力も発揮しなかった国もあるとはいえ、これらの国はやはり距離的に中国に近い国々だ。それに対して欧米諸国はどうかといえば、そうした国々にとって中国はどうしても地球の裏側なのだ。欧米のメディアでも、その後このことは自覚的に反省された。

ここにはジオポリティクスの長い歴史の影響も見られる。東洋では、一九世紀なかば以降、欧米の方を常に向くという姿勢がずっと身についている。自己植民地化した日本という国では、中国の状況よりも、イギリスやフランスの状況のほうが身近に感じられることも多いのではないか。一方、西欧諸国にとって、中国は大国であり、もはや切っても切れない経済的パートナーであるにもかかわらず、そこで発症した新型コロナウイルス感染が、自分たちの生を脅かしにくるのだと、「魂で」想像することはできなかった。アジアはヨーロッパにとって依然、遠い存在である。実際、西欧諸国が、韓国や台湾の対応の仕方に注目しだしたのは、イタリアでの隔離が本格化しようとした三月一〇日以降ではなかっただろうか。

マスクの例もまた如実に、ジオポリティクスの歴史を物語っている。今日四月八日、ようやくフランスもマスクの使用を義務付ける決断をしたようだ。それまで長い間マスク装着の有効性が疑われていた。いまでもたしかに、FFP2ではない普通のマスクで感染を防ぐことは難しいとされている。しかし、感染者の飛沫が散らないという点で、皆がマスクを装着することの有効性が認められたようだ。マスクの使用は、個人というものの尊厳と尊重を最優先させ、公共という概念のもとに個人が集う開かれた社会を目指す西欧において、異様なものと見做され、これまで受け入れられてこなかった。そのマスクがアジアで有効に使われているのを見て、はじめてフランス人も、大きな心理的ハードルを克服しながら装着しはじめたようだ。ヨーロッパがアジアを範としたのはこれが初めてかもしれない。そしてこの数日で、台湾と韓国の対応を見習うべきであるという趣旨の記事がアメリカでもヨーロッパでも増えているし、政策も確実にその方向に進んでいる。

＊

遠いアジアではじまった感染を自分たちの問題として捉えることのなかなかできなかったヨーロッパであるが、隣国でもまだ遠すぎたようだ。人間のこの遠近感の限界はそれほど近視眼的なものであることが、今回ほど痛切に感じられたことはない。イタリアが隔離政策をとりはじめたのは三月八日だったが、その前後から隣国フランスへの忠告が各種メディア(3)で、そしてSNS上で盛んに送られた。しかしフランスが隔離を決定するまで一週間以上かかった。隣国で起こっていることは、まだ遠いのだ。

その理由を厳密に考えるのは難しい。フランス人にとって、隣りのイタリアで起こっていることは、中国で起こっていることよりはずっと身近なはずである。それでもなかなか自分たちのこととして、事態に対処することができなかったのは明らかだ。多くのイタリア人が、いつものフランス人の傲慢を嘆いた。イタリア人にとっては、フランス人が自分たちの医療システム、緊急事態対応はイタリアよりも十全であると考えているようにしか見えなかったのだ。それに対して優越感に悩まされないギリシャは、早くから隣国イタリアの苦境に学び、迅速な対応で被害を抑えることに成功しているようだ。

＊

ここでもう一つ注目に値するのは、国という、現代の世界を構成する動かしがたい制度だろう。今回、人々は、国という制度なしに新型コロナウイルスと迅速かつ効率的に対決することが不可能であるということを、否が応でも感じずにいられなかったのではないだろうか。人々を組織し、統括し、監視すると同時に、そこにいる人々を良かれ悪しかれ守る制度、単位。

国はたしかに国の中にいるものの距離を縮め、国の外にいるものとの距離を広げ、遠近感を歪ませる。しかし無能なだけではなく、腐敗し、データを改竄する政府を戴き、国が国として機能しない日本で暮らしている私たちこそ、制度としての国の必要性をいま痛感していないだろうか。先にアウトブレイクを経験している国の情報をいち早く集め、それをもとに医療システムを急遽、事態に対処できるように指示を出し、マスクや医療機器が不足しないよう生産システムを確保し、隔離でなければ自粛でもいいが、その経済的弊害によって生活が困窮する人々に当面の便宜を図るもの、それが国ではないだろうか。その国が立ち行かないから、いま日本人はそれぞれが適当に情報を集め、適当に対処するしかないのだ。この場合、この国の国民がもとからマスクと手洗いと自粛と他人恐怖症的な習性をもっていたことは、幸せなことだったのかどうか、いまとなってはわからない。そのおかげで、何の政策もない状態で、かなり長い間ひどい感染率にならずに済んできたことは、今後の経過次第で、人命という点でも民主主義という点でも、必ずしもめでたいことではなくなる可能性が大きい。

そんな国だから、ヨーロッパの「ちゃんとした」指導者たちの政策に多くの日本人が妙な警戒心を催しているようだ。国単位の政策に、ナショナリズムの発揚を読み取ろうとしてしまうのだ。もちろん、対コロナウイルスの情勢を悪用して、排外主義的な動きが出てくることはハンガリーの例をみても否定できない。しかし、今回の各国の処置(国境封鎖と隔離)そのものを排外主義的と評することはあまりに性急な議論である。ほとんどの国の人にとって、新型コロナウイルスは外からやってきたものだ。このことを認めることが排外主義につながるわけではない。外国からの帰国者を犯罪者のように見立てる報道を流す日本のメディアこそ排外主義に汚染されているし、またそうした報道に妙な罪悪感を覚えた帰国者がいたとしたら、それはそれで日本はまことに気の毒な国と言わざるを得ない。「魂の想像力」がないのだ。あなたが特別に感染したのではなく、誰でも、感染するのだ。

＊

この国では、国というと国民とすぐ考えてしまう。しかしヨーロッパの国々がいまそれぞれ打ち出している取り組みは、決してそれぞれの国のパスポートを持つ人だけを対象としているわけではない。その国にそのとき存在している人たちすべてを対象としている。だからこそ、移民やホームレスへの支援がいち早く要請され、国側もそれにできるだけ応えるような方策を編み出している。隔離された市民が、夜、その国の国歌をヴェランダで唱えるとき、そこに暮らしている外国人も一緒に歌う気になるようなヒューマニズムの土壌がそこにはあることを忘れてはならない。外国人であっても、フランスやイタリアの病院で、コロナで緊急治療室に入れてもらえるだろうし、恐ろしい命の選別も、その人の国籍ではなく、年齢などの助かりそうな条件によって行われるだろう。もちろん、近親者の多さなどといった基準が考慮されるような場合は、外国人であると損をする可能性はあるだろうが。

いずれにせよ、現状の世の中では、国が強いリーダーシップ、つまり責任をとる人のもとに統一されなければ、パンデミックと戦う術がないということが、日本の例をみれば明らかではないだろうか。そうした国の権限を危機の名のもとに擁護することを、父権主義の猛威として批判するフェミニストもいる。しかしいまこの世界で、国という制度が対処しなければ、日本のように人々は為すすべもなく、不安を抱えながら毎朝満員電車に揺られて生き続けるしかないのではないだろうか。

＊

マクロン大統領が「戦争」という言葉をテレビ演説で六回も使用して国民に呼びかけたことで、内外でさまざまな議論を呼んだ。その正当性についてここで考える紙幅はないが、一つだけ注釈をつけておきたい。フランスは二一世紀に入って激しい分断を抱えており、日本のように忖度ですべてが治まってしまうような国と違って、統一を呼びかけることが非常に難しい状況にあるということだ。どのような政策も喧々諤々の論争や批判にあうことが必至の国内情勢において、強権を発動してパンデミックから市民を守るには、象徴的な呼びかけが必要だと政府は考えたのだろう。

隔離されたイタリアのSNSで流れている、お互いを励まし合うヴィデオの多くが、愛国主義的な調子を帯びていると考える日本人もまた多いだろう。しかし、ヨーロッパにおいて愛国主義は必ずしも悪いものではない上に、ある国の文化とその国の行政は必ずしも同定されるものでもない。人の気配のなくなったローマの遺跡やヴェネチアの映像をつなげながら、andrà tutto bene（きっとうまくいく）といったメッセージを有名なカンツォーネの調べに乗せて語りかける動画は、排外主義的なイタリア国粋主義を表現しているのではない。バリッラ社が提供しているそのようなヴィデオで、隔離下のイタリアのさまざまな状況の人たちを喚起したのち、さいごのところで、ソフィア・ローレンによるナレーションはspaesatoな（直訳すれば、本来の故郷ではない場所にいて違和感を抱いている）人に触れ、その人もpaese（郷《ふるさと》、国）をまたもっていると感じているのだ、としている。エリザベス女王のスピーチも、英国の統一を呼びかけながら、さいごの部分では、世界でさまざまな助け合いの場面が見受けられていることに触れ、今回のチャレンジがこれまでとは違う性質のもので、「世界中の国々が力を合わせて一緒に努力する」ことであると明言し、英国の誇りや歴史に訴えることが排外主義に必ず帰結するものではないことを証明しているばかりか、さらに広く、世界との連帯を訴えて終わっている。

要するにヨーロッパの民主主義国はいま行政としてその力量をフルに発揮しようとしているのであり、それに対して市民やメディアはさまざまな批判や疑問を提示しながら、もっとも民主主義的にこの危機を乗り越えようとしているのである。その根底にある想像力は、近さの幻覚を打ち破り、遠さに覚醒する方向に働き、これが各国に任された挑戦だけではなく、世界の一人ひとりの人間をめぐる試練であることを自覚しようと必死になっている。パンデミックという悲劇は国境を超え、人々が共有し、遠さが近く感じられたり、自らの近さを遠くへと相対化することも可能になったりする、人間にとってかけがえのない経験である。今後の世界認識が変わる契機を孕んでいる。しかしパンデミックもいまだ「共有」できない日本は、自分だけは特別だという幼稚な近さの幻覚からなかなか抜け出すことができずに、じわじわと新型コロナウイルスに侵食されつづける運命を辿るかにみえる。

幼稚な近さは「父」に守られているという幻想から来る。「父」は天皇であったり、日本という日常であったり、日本語という感覚かもしれない。いずれにせよ、そうした曖昧な近さ、いざとなったときに守ってもくれなければ責任もとってくれない近さをまず断ち切ろうと努力せずには、「魂の想像力」を発揮することはできないだろう。それにはまず自分が一人の人間であることを思い出さなくてはならない。首相であったり、介護士であったり、教員であったり、学生であったり、父親であったり、妻であったり、日本人であったりする前に、自分もまた、新型コロナウイルスにかかって死ぬかもしれない一人の人間にすぎないということを実感するところからはじめなくてはならない。たった一人の人間、裸の人間としての脆弱さをスタート地点に据えずには、遠い、同じように脆弱な存在とつながることはできず、「このあと」の世界を構成することもできないだろう。

(1)Pierre Pachet, *Le premier venu, essai sur la politique baudelairienne*(『どこにでもいる人——ボードレールの政治に関する試論』), Denoël, «Les Lettres nouvelles», 1976; rééd. revue et augmentée, *Le premier venu, Baudelaire : solitude et complot*, Denoël, 2009(2009年再刊)

(2)Simone Weil, "Amour de l'ordre du monde", in *Formes de l'amour implicite de Dieu*, *Œuvres*, Quarto.

(3)文学の領域でいえば、イタリアの映画監督にして作家のCristina Comenciniの「フランスのいとこたちへ」と題された「手紙」がリベラシオン紙に掲載されたのが三月一二日、Francesca Melandriのテキストは三月一八日、そしてル・モンド紙にPaolo Giordanoのエッセーが登場するのが二四日である。

ねもと　みさこ　一九六七年生まれ。明治大学文学部教授。フランス文学・二〇世紀文学専攻。『眠りと文学』、ピエール・パシェ『母の前で』(訳書)ほか。

# III　コロナ禍と日本社会

## コロナが日本政治に投げかけたもの

御厨 貴

### 今までとは違う危機

平成の三〇年間は、地震などの自然災害が相次いだ時代でした。元号が変わり、令和の時代になって、穏やかな時代になっていくかと思われたところを、今回のコロナ災害が襲いました。この災害によって、いまや日本のみならず、世界中が立ち往生しているという有様です。

今回のコロナ災害はこれまでの災害とどこが違うか。私は多くの災害復興にかかわってきましたが、これまでは災害を契機に、人と人とが絆を深め合い、結びつきを強めることで災害に立ち向かい、復興に取り組んできました。

ところが、コロナウイルスの場合、人と人とが集まることができない。コロナは残酷なまでに人と人を切り離し、分断していく。分断されるのは国や地域間だけでなく、家族であっても隔離して生活することを余儀なくされてしまう。たとえ無症状であったとしても、もしかしたら自分も知らぬ間に感染していて、誰かに感染させてしまうかもしれない、といった不安に苛まれ、疑心暗鬼になる。安心して生活を送ることができなくなります。

岡江久美子さんは、私の家の近くにお住まいで、時々、道端でお会いしてご挨拶することもありました。それがある日突然、家族も面会が許されなくなり、お骨になってご自宅に帰ってくる。あの光景をテレビで見せられた時、これは本当に非情な事態だと思いました。

もう一つ言えるのは、コロナの場合、「災後」がどういうものになるのか、まったく見えないということです。この災害はただちに終わらず、今後も、だらだらと続いて、第二波、第三波の流行が襲うかもしれず、鎮圧するのはなかなか難しいのではないかと言われています。常に「災中」「災後」が続くかもしれない。実に嫌な相手ですが、最終的には我々はこの嫌な相手と敵対しながら何とか共存していくことを考えるしかないのではないでしょうか。

## 「安倍一強」の変調

この未曽有の事態に直面して、「安倍一強」などと言われてきた安倍政権が、いかに無力であるかが、この三カ月間で露呈しました。

これまでの八年間、安倍政権は、いくつかの政策課題を処理し、時には右派層にアピールする政策で求心力を高めたり、内閣自身のスキャンダルに対してはろくに説明しないまま、何とか乗り切ってきました。国民も、こうした政権を手放しで支持してきたわけではありません。野党がどうしようもない状況だったのと、党内に「これは」という政治家がいなかったため、「他に替わる人がいないから」という、いわば消極的な理由で支持してきました。消極的支持も支持のうちです。

しかし、この八年の間に、当初、内閣を切り盛りしてきた菅義偉官房長官の力が弱くなり、それに代わって、側近の、いわゆる官邸官僚たちが力をつけてきました。そうした官僚たちによる政治課題を処理していくシステムが、うまく機能するようになって、政治的に苦労することは次第に少なくなっていました。

それが今回、これだけの危機的状況で全く手も足も出せなくなっているのは、どうしてなのか。それは、これまで安倍政権がやってきたことが、もっぱら平時の業務だったからです。未知の困難をどう乗り越えていくか、新しい仕組みをどう構築していくかということになると、官僚たちはあまり得意ではない。これまでの処理システムが、この危機に際して全く役に立たないものであることが明らかになりました。

しかも、いま安倍さんが使っている人たちは、今井秘書官から始まって、全部総理側近。全部、自分の言いなりになる人たちになってしまいました。だから、今回いくつかミスを犯したにもかかわらず、それがミスであることも認識できない有様です。

非常に象徴的なのは、安倍さんが記者会見に出てきて、その度に滔々といろいろなことを述べるものの、非常に言葉が上っ調子で回っているだけであって、本当に国民の中に語りかけていく言葉にならない。もうこの人の言葉はいくら聞いていてもしょうがないな、という印象を与えてしまっている。

しかも、もう一つの変化は公明党の存在です。友党であり、これまで大体「雪駄の雪」と言われていました。つまり下駄の下についている雪と同じで、どんなことがあっても、大体最後は賛成してくると言われた公明党が、今回の給付金の問題に関してはかなりすごんだ。厳しい条件で三〇万円だったのを結局一〇万円で全員一律にさせた。公明があそこまで動かなければ自民党は最終的に動かなかったでしょう。

では、なぜ公明党があそこまで動いたのか。これも自民党の側のミスであって、公明党はこれまで安全保障問題では確かに自民党の言うことについてきました。ただ、こういう生活の問題になると、それは公明党と、そのバックに控えている創価学会にとっては死活問題なのです。だからこういう問題に対しては、ものを言うという姿勢がついに出てきた。自民党と公明党との友党関係がいままでのようにやっていけるかどうか、見ていく必要があります。

## 厚生労働省の特殊性

官僚がうまく回っていない中で一番の問題は、やはり厚生労働省の問題でしょう。厚生労働省というのはけっこう細かい問題を扱うところで、しかもあそこは医系技官を抱えていて、ふつうの事務官の人たちとは違う世界があります。ふつうの官庁よりも組織が細胞的で、ほかの細胞を受け入れない、お互いに干渉しない感じの縦割りが出来上がっている官庁です。今回も、例えば検査体制をどうするかということでさえ、非常に複雑な指揮命令系統を伝わっていって、いままでのしがらみや縦割り等々を越えてやらなければスピード感が出せないようになっていたことがわかった。ですから厚労省は、いま体質が劣化したのではなくて、もともとそういう体質のところに今回の件が来たから、うまく回っていかないのだということが見えてしまったわけです。

これまで私は、技術系の官僚たちをけっこう見てきましたが、彼らは仕事にはすごく熱心です。仕事に熱心で自分の専門領域に関してものすごい自負心を持っている。であるがゆえに、自分たち以外の人たちの意見はあまり聞かないで、自分たちだけで処理していく。ふつうの一般の事務官たちは大体ゼネラリストで、みんなの意見も聞きながら、この辺が落としどころかなという感じでものごとを進めていくのですが、彼らは自分の専門というものに自負心を持っていますから、なかなか他人の言うことは聞かないし、欧米ではこうやっているからと言っても、日本は違う、このやり方でいいんだということでやってきた。その問題が今回露呈してしまったということだろうと思います。厚労省はこれから相当問題を考え直して、医系技官の存在や、事務官との関係というのを見直していかなければ、けっこう大きな問題になると思います。

## 日本版・緊急事態宣言から見えてきたもの

そのようななか、緊急事態宣言が出されました。ヨーロッパの国々や、アメリカと違って、日本は強制力を伴った措置や罰則を課すというところまではいかなかった。罰則は、なかなかつけられないです。だから憲法改正だ、みたいな話になるところが自民党らしい。

ただ、自民党が言っている憲法改正というのは、今後とも当面はできないと思います。なぜできないかというと、この八年間できなかったのですから。つまり内閣の力が一番あった最初の時点でできず、しかも、憲法改正の中身はその時からどんどん変わってきている。事ここに及んで、緊急事態の時に政府が何でもできるようにするなんてことが通るような状況ではありません。

安倍さんは大体、彼の性格から言って「右」の人たちを大事にするし、「右」の人が何か言うことに対して必ず応答するところがあります。今回の「憲法に緊急事態条項を入れる」も「右」に対する一種のポーズであって、また安倍さん自身が「右」に対してけっこう勇ましいことを言うことによって彼は元気になるので、あれで元気を出して国民に向かってまたいろいろ言説を吐く。それは結局は憲法改正という事態に至らない、ということだと思います。

ただ、この間の緊急事態宣言に伴う自粛要請の中で、この国の国民性がこわいなと思ったことがありました。例えばパチンコ店をどうするかという話がありました。地域によっては自粛要請の対象に入ったにもかかわらず、そのまま営業しているパチンコ店に向かって、SNSの世界から始まって、いろいろな暴言が投げつけられる。詰問状況になる。日本人は、伝統的に何かやっている時にそれに同調しない連中を村八分にするということがあるのですけれども、それがまさにパチンコ業界に向けられる。しかも、その一方で開いているパチンコ店に行ってしまう国民もいる。こういう感じで人間の感情というのは回っているのかと、ある意味で日本人らしさというのが、この状況下でちょっと見えたような気がしています。

## 知事たちのめざましい活躍

そして今回、初めて地方の知事たちの顔が見えてきたのが印象的です。これまでの自然災害の時には正直言って、知事はあまりリーダーシップをふるえなかった。実際にリーダーシップをふるったのは、現場に近い、市町村の首長たちであって、都道府県は復興等についても、なかなかこれという成果を上げられないできました。が、今回はそうではありません。きめの細かい問題に対して、中間にある都道府県が情報を集約し、指令を発していかなければ事が動きませんでした。もちろん、財政の問題もありました。そういう意味では、国がやっていない分、都道府県がどれだけやるかということで、勝ち組の知事と負け組の知事がはっきり出てくるような状況になってしまいました。

初動の段階から相当リーダーシップを発揮しようとし、自分たちの領域の中で何ができるかを考えて国に訴え、むしろ優柔不断な国を引きずるような形で発言したのは、小池百合子東京都知事、吉村洋文大阪府知事、それと北海道の鈴木直道北海道知事の三人が最初だったと思います。

この三人の知事がそれまでの知事と違ったのは、これまでは国から何か言われたり、意地悪されると嫌だからという理由で、あまりものを言わなかった知事たちが、今回はここでものを言わなければ逆に都道府県民たちから、この知事は何もできないのかと思われてしまう、という危機感を抱いたことです。都民あるいは府民、道民を背景にして、彼らにきちんと「やった感」を与えなければいけない、ということで頑張り、いろいろな名言を残すことになったわけです。

中でも小池さんの場合、都知事選が近いということもあって、明らかに国を敵に回して自分は都民の味方であるという姿勢をかなりはっきり出した。こういう危機状況の時になると小池さんはやはり強い。都の財政はまだずいぶん剰余金があるみたいですけれども、赤字になったとしても、「とにかく出せるものは出す」と言って出していく姿勢は、いま都民から信頼が置かれています。

吉村さんの場合は、パチンコ業界にも切り込んだし、特に大阪というのはタブーがある難しいところですが、そのタブーに果敢に切り込んでやろうとしている。

鈴木さんは、もともと東京都の職員でしたけれども、夕張が破綻した時に夕張を建て直すということで夕張の市長になり、そして北海道知事になった人です。だから彼の場合は最初から、国を相手にするとか、誰かを相手にしてやるということを考えていない。今回も、中央の動きなんかあまりあてにせずに、自分たちで先に緊急事態宣言を出して進めていった。

そういう点では、この三人は完全に勝ち組であるということが言えます。あとの知事たちも、いろいろ頑張ったりもしたのですけれども、なかなか自分たちの独自性をアピールできなかった。これまでの知事は、地元の新聞やテレビ局相手に訴えていればよかったのですけれども、今度の場合は全国区になってしまいましたから、全国の立場から見たら、この県は何もやっていないのではないかと見られてしまう。実はやっているんですよということをいろいろと見せていかなければいけなくなった。戦後政治史の中でも、これだけ知事がいろいろなことを言ったり、やっていることを見せようとして頑張ったことは稀です。皮肉なことですけれども、コロナの感染がどんどん広がるという事態の中で、初めて都道府県制というものが生き生きしてきた。

## ポスト安倍の動きにも影響

そのことは、今後安倍政権はいつまで続くのかという話と重なってくるわけです。安倍政権はこれまで何かうまくいかないことがあっても、すぐ別の施策を出して、「ほら、これがあるよ」と「やってる感」を出す形でやってきた。このたびのコロナでは「やってる感」が出せず、国民からは不信感を持たれ、いま言ったように地方に引っ張られている。いずれにせよ、近く安倍政権は退く時が来ると思います。どういう退き方になるのか、なかなかわかりませんけれども、やはり、刀折れ矢尽きたという形になるだろう。もうこれ以上やっていても、「やってる感」が出てこなくなる状況になった時に、この内閣もたぶんおしまいになる。

では、そのあとは石破さんですか、誰ですかと訊ねられることが多いのですが、この際、私は、さっき言ったような頑張っている知事さん、つまり地方で現実にコロナ退治をやったような人たちが国政に出るべきだと思う。はっきり言えば大阪の吉村さんとか、東京の小池さんとか、北海道の鈴木さんという人たちが出ていって、これまでの国の体制を——国の体制に彼らは全然慣れていないことがむしろいい——壊していく。そういう人たちが出てきて、大きな仕組みの取り替えをやっていくことが必要だろうという気がします。

この三人に関しては、もちろん僕は政治思想的にいろいろな意味で賛成ではありませんけれども、そういうことはもう言っていられない。彼らに頑張ってもらいたいという感じがしているわけです。

## 天皇の存在感

もう一つ、大事な人を忘れていました。平成の時代から令和に変わったわけです。しかも天皇の生前退位という、近代一五〇年の歴史の中で初めての出来事があった。それに若干関係した者として言いますと、非常にうまい時期にバトンタッチできたと思います。ただ、それに対する反動のような形でこれだけのコロナ災害がやってきたわけですから、もっと以前のどこかの段階で、新しい令和の天皇として、これからどうしていったらいいかということに関しての天皇メッセージを出すべきだったという気がします。「いま心を痛めておられます」と宮内庁が代弁していう話ではなく、ご本人が出てきて、国民の前にその姿をあらわして自分の言葉で国民に対して、この未曽有の事態に対してどうしていったらいいのかということを、天皇の言葉、あるいは皇后の言葉で語るべきです。

前の天皇は、まさにそれをしたわけです。東日本大震災のあとにビデオメッセージを流した。ところどころできちんと、自分たちの政治観、「こうあるべき」ということを語っていました。

いまの天皇は、非常に真面目な方だというのはわかるし、恐らく、宮内庁の慎重論に抑えられているとは思うけれども、即位の大礼や正殿の儀、パレードなどで、あれだけ多くの国民に関心を持たれたのは、ご自身が出て来て、それを国民が確認するということがあったからです。今回もぜひメッセージを出してもらいたいと思います。やはり、天皇のメッセージというのは、内閣総理大臣のメッセージとは違うのです。イギリスのジョンソン首相が何か言うより、エリザベス女王が言う方がすごく大きいのと同じです。いままで天皇陛下を見てきた私の強い気持ちではあります。

## コロナ後を見据えて行動せよ

一見コロナは、いま日本の国を鎖国化しているように見えます。県の往来も自由にできない。外に対しても内に対しても鎖国になっていますけれども、そういう状況を打破するのは、やはり日本が得意とする技術分野でしょう。日本は検査体制も遅いし、いろいろ悪いと言われているけれども、モタモタはしているけれども何とか収拾にもっていくような体制になっている。

いままでのところ、死者がヨーロッパのようにたくさん出ているということはない。その原因について、いろいろ考えられていますが、日本の医療体制のよさも原因の一つでしょう。しかも、日本の医療技術のいくつかは海外でも高く評価されています。ですから、今回のコロナで日本が貢献できることは何か、それをきちんと探して、その医療技術をもとにして、グローバライゼーションに協力をし、世界各国と友好を築いていく。

コロナ後のことまで考え、やっていくということが大事だろうと思います。そのようにして初めて日本の政治が、世界に対してどれだけ真の意味で貢献できるのかが示せる。

そうしたことをきちんとやらなければ、オリンピックもだめです。うまくいかないでしょう。

(二〇二〇年五月八日)


●参考文献

『読売新聞』「地球を読む　コロナ後の世界」二〇二〇年五月三日付

『文春オンライン』「知事たちの通信簿」二〇二〇年五月五日配信

『NHK特設サイト・新型コロナウィルス』「新たな政治行政と縮小モデルの実現を」二〇二〇年五月七日配信

『京都新聞』「現代のことば　感染災害との共生は可能か」二〇二〇年五月一一日付夕刊

みくりや　たかし　一九五一年東京都生まれ。東京大学先端科学技術研究センターフェロー、東京大学・東京都立大学名誉教授、サントリーホールディングス取締役。日本政治史、オーラル・ヒストリー。『政策の総合と権力』『オーラル・ヒストリー』『時代の変わり目に立つ』など。

## 阿部 彩

# 緊急事態と平時で異なる対応するのはやめよ

「えっ、それ、あなたたちが言う?」

三月後半。まだ、緊急事態宣言は出されておらず、現在(五月初旬)ほど、コロナの影響による人々の生活困難がマスコミでも取り上げられていない頃のことである。私は、以下のニュースを見て驚愕した。

公共料金支払い猶予へ 政府、困窮者支援で異例の要請——新型コロナ(『時事ドットコムニュース』二〇二〇年三月一九日)

新型コロナ・ウィルスの感染拡大の影響によって、公共料金が支払えなかった人々への支援を政府が要請するという。対象は、電力、ガス、上下水道、電話、NHK受信料である。

もちろん、このような対策が打たれることは、自粛要請によって仕事が少なくなったり、職を失ったり、子どもの学校が休校となったために仕事を減らさざるを得ないような困っている人々にとっては朗報である。公共料金が払えないほど家計が逼迫するのは低所得層の人々が多いであろうから、貧困対策を長年研究してきた身としては、もろ手を挙げて喜ぶべきことである。しかしながら、私は、「ライフラインを止めてはならない」と熱弁する政治家や、仕事が減ったひとり親家庭の母親を心配顔で取材するニュース・キャスターをみて、心の奥がモヤモヤとする何とも言えない不快感を覚えた。何故なら、これまで、もう何年も、政治家の方々や、一般市民、マスコミに対して、公共料金や家賃に対する支援策が必要だと訴えてきたが、何の反響も得られなかったからである。それが、あたかも「大問題だ」と語られているのを見て、私の正直なリアクションは「えっ、それ、あなたたちが言う？」であった。

公共料金や家賃が払えなくて困っている人々は、新型コロナ・ウィルスが蔓延して初めて現れたわけではない。支払いが滞って、電気やガスが止められたり、借金をしなくてはならない人は、「平時」においてもたくさんいる。そのような人々がどれくらいいるかの公的統計も取られている。厚生労働省の研究機関である国立社会保障・人口問題研究所では五年ごとの全国調査にて、「過去一年間に金銭的な理由で料金が払えなかった」ことがあるかを調べる全国調査を行っている。最新の二〇一七年調査によると「あった」と答えた世帯は、電気では三・三

%、ガスでは三・四%、水道では三・一%、家賃では五・〇%である(国立社会保障・人口問題研究所「生活と支え合いに関する調査 結果の概要」、実施は二〇一七年七月)[1]。この数値は、それぞれ該当する支払いがある世帯の中での割合なので、家賃は借家住まいの人の中での割合である。電気料金や上下水道料金はほぼすべての世帯で発生しているであろうから、日本の世帯数にこの数値をかけると、約一九三万世帯[2]が電気料金、約一八一万世帯が水道料金が払えないという状況が、「平時」においてもおこっている。

子どもの貧困対策の一環として自治体が行っている、子どもの生活実態調査では、もっと赤裸々な数値が上がっている。大阪府が二〇一六年に行った小中学生の保護者に対して行った調査[3]によると、半年の間に電気・ガス・水道などが止められたことがあると答えたのは、小学五年生の保護者では二・〇%、中学二年生では二・三%であった。沖縄県が二〇一八年に行った同様の調査では、過去半年で、電気・ガス・水道などが止められたことがある世帯の子どもは小学一年生で三・一%、小学五年生で三・九%、中学二年生で四・四%、計三・八%である[4]。すなわち、沖縄では、一クラスに一人くらい、大阪府では一学年に一人か二人くらいの子どもが電気・ガス・水道のどれかが止められる経験をしているのである。仮に、大阪府の割合を全国に当てはめて小中学生の人数とかけると、小学生では一二万五〇〇〇人、中学生では七万四〇〇〇人となる[5]。

電気・ガス・水道が止められているといった状態は、「命」にかかわる問題である。まさに、これらサービスが、「ライフライン」と呼ばれる所以である。しかし、日本社会においては、これら「ライフライン」を保つことができるか、できないのかは、個人や家族の懐具合に任されている。実際に、二〇一八年には札幌にて高齢女性が電気を止められた状態で熱中症によって死亡しているのが発見された。二〇一九年一二月にも、東京江東区で、電気やガスが止められた状況で高齢兄弟が亡くなった。後者の場合は、電気・ガスが止められたことが直接の死因ではないかも知れないが、電気もガスもない状態で、東京とは言え真冬の日々を健康に過ごすことは不可能である。先に述べたように、子どもがいる世帯においても、高齢者や病弱者がいる世帯においても、「平時」の日本においては、料金が払えなければ、普通にライフラインが止められる。このことを、データをもって示しても、国会で取り上げられることはなかったし、ネットで憤りの声が炎上することもなかった。

これまでは。

## 「平時」の困窮と、「緊急時」の困窮は、何が違うのか

この「平時」と「緊急時」の人々のリアクションの違いは、どこからくるのであろうか。三つの理由を考えてみた。

一つ目は、人々は、「期間限定」の困窮であれば、税金を投じることをよしとしたり、自分自身で支援を行う気持ちになるが、この先ずっと継続するかも知れない支援には消極的であるというものである。ユニセフなどの団体に、一回きりの寄付ならするが、毎月の寄付を約束する「会員」になるには躊躇するといった感情である。確かに、今は、お財布に余裕があるから寄付できるが、数カ月後にはどうなっているかわからないからそこまでコミットできないといった人もあろう。「緊急事態」は、永遠に続くわけではない。一時的なものならば、税金を湯水のように投入するのも、自らの身を切っての支援を行うことも許容範囲内ということか。しかし、「平時」の困窮はずっと続く可能性があるので、支援が始められない。今回のコロナの影響にしても、せいぜい一、二カ月で収まると思っているから、公共料金補助や家賃補助、一人あたり一〇万円といった「平時」では考えられないような政策が打ち出されているが、これが長期化すれば人々の考え方も変わるであろう。

二つ目の理由は、人々が困窮の「原因」をなんと考えるかの違いである。困窮が病原菌という不可抗力の結果なのであれば、「救うべき」であるが、平時の困窮はそのような特殊な事情はないはずである、だから、困窮しているのであれば、それはその人の自己責任であり、同情の余地はない。このような理屈が働いているように思う。この貧困の自己責任論は、どの時代においても、どの社会においても根強く蔓延っており、貧困対策を推し進める人々は、常にこの「deserving poor(救うべき貧困)」と「non-deserving poor(救わなくてもよい貧困)」との線引きと戦ってきたと言ってもよい。今回の「緊急時」も、ウィルスという誰からみても「悪者」がいるので、自己責任論が出てこないのであろう。

三つ目は、少々ひねくれ者の発想である。それは、「緊急事態」と「平時」の人々のリアクションの差は、緊急事態の「火事場」的な緊迫感、そして、それに伴う高揚感にあるのではないだろうかというものである。連日連夜、テレビがコロナ関連のニュースを流し、日本中のすべての人がこの問題に関心を向けている。「命を守るために」自粛をすることが、すべての国民に求められ、コロナに感染してしまった人に対するバッシングまで起こりかねない世論の高まりの中で、自粛の影響で困窮する人々に対して「支援を!」と訴えることは、まさにpolitically correct、「正しいこと」なのである。あえていじわるな見方をすれば、コロナ・ウィルスに対する不安が煽られ、自粛が叫ばれ、影響を受けた人々に同情するという一種の群集心理が働いているように見える。

国や個人が緊急時に困っている人々を支援すること自体に異議を唱えるわけではない。これらは必要だし、個人個人の取組は素晴らしいことであり、筆者は彼らに深く頭を下げることしかできない。しかし、しかし、国や自治体による支援策が次々と打ち出され、地域やコミュニティにおいても地元の商店街や飲食店を守ろうと人々が立ち上がり、といった、この雰囲気に

「デジャブ（既視感）」を感じるのである。そう、九年前の東日本大震災の時である。あの時も、日本中の人々の関心が「困窮」に集まり、生活困窮者に対して同情的なニュースが日々流れ、そして、多くの人々がボランティアにかけつけたり、寄付をしたりした。「絆」だとか、「連帯」だとか、「地域」といった言葉が流行り、あたかも、日本が一丸となって、この苦境を乗り越えるんだといった雰囲気があった。だが、あれから九年。あの頃の社会の一体感は、その後も継続しただろうか。ボランティア活動はある程度定着したかも知れないが、ひとり親世帯や非正規労働者、低所得者といった社会的弱者であり、災害弱者でもある人々を生み出す社会の構造を根本的に変えようという国民的コンセンサスは醸成できたであろうか。

## 「緊急時」の対策は期待できない

長年、貧困研究者をやっていると、現在の「緊急時」の対策（それが、国や自治体であれ、個人や地域のものであれ）や、全国的なcompassionの高まりを素直に受け止めることができなくなってしまう。Compassionとは「思いやり」のことである。本来であれば、こういった危機に面している時こそ、他者を思いやり、連帯、友愛といった理念を掲げて助け合うのが「正しい」考え方なのであろう。しかし、「緊急時」に現れるcompassionは、困窮が継続する可能性や、困窮の要因が不可抗力か自己責任かといった議論に向かい合わず、それを考えることを迂回した考え方である。この考え方の延長線上に、「平時」の困窮に対する解決策はない。だから、私は人々の compassion に基づく貧困対策には期待しない。

ちょうどこの原稿を執筆中に、貧困世帯の子どもたちの学習支援を行っている特定非営利活動法人キッズドアの理事長の渡辺由美子さんの「募金でなくて、税金で子どもたちを守ってください」という記事がメーリングリストで回ってきた。厚生労働省が共同募金会による「新型コロナ感染下の福祉活動応援全国キャンペーン」を実施するというニュースに対する怒りの記事である。彼女曰く、「募金は国民が行うわけですし、活動も地域の団体がやるんですから、厚生労働省は全く関係ないわけです。なんで、厚生労働省が発表するのか、さっぱりわかりません。国は、新型コロナ感染下で福祉活動などしなくてすむように、さっさとお金を出してほしいです。あまりにもひどい。なぜ、こんなにダメなのか？　今までがずっとダメだったからです」。まったく同感である。

寄付ではなく、税金による支援を。そして、同時に緊急対策でなく、「平時」と同じ制度の中での支援を拡充して欲しい。電気料金やガス料金を払えず、ライフラインを止められてしまうことが、許されるべきでないのであれば、日本社会が真にそう考えるのであれば、「平時」においても、そのようなことがないようにするべきである。実際に、他の先進諸国には、公共料金を補助する制度が整っている国も多い。あのアメリカでさえ、低所得世帯向け光熱費扶助

(The Low Income Home Energy Assistance Program : LIHEAP)という制度があり[6]、低所得層の光熱費が軽減されている。また、仮に光熱費が払えない状況になったとしても、命や健康にかかわるような時は、ライフラインを止めることを禁止しているという。東京大学の橋本英樹教授によると、アメリカでの五〇州のうち三七州で、気象状況や本人の状況を踏まえて、民間の供給会社であっても、料金の滞納を理由にライフライン(電気やガスなど)の供給を止めることは規制されている。これは、ライフラインを止められた挙句に凍死したり、安全ではない暖房手段をとることによる事故死などが相次ぎ、市民から抗議が殺到したからだという[7]。

日本にも、ライフラインの停止を抑制する規制を設けるべきである。しかし、今現在、そのような制度がない中、何をするべきかを問われれば、私は、現存する制度である生活保護制度で対応すればよいと答える。生活保護制度の支給要件を緩和、手続きを簡略化し、いま、困っている人々を救えばよいのである。多くの人々が生活保護を受給し、彼らは、もともと自活して生活していた人々なので、状況が好転すれば、どんどん、生活保護を抜けていくであろう。そのような事例が、日本各地で大量に出てくれば、生活保護制度というのは、まさに、すべての人々のセーフティネットとして機能する制度だということが、国民に認識されるのではないだろうか。そうなれば、「平時」にみられる生活保護制度の硬直的な運用や、生活保護受給者に対するバッシングも少なくなっていくであろう。重要なのは、柔軟な対応の「前例」ができることである。「前例」さえあれば、「平時」においての困窮者も支援対象となるからである。

実は、生活保護法には「無差別平等の原理」というものがある。生活保護法第二条は、「すべて国民は、この法律の定める要件を満たす限り、この法律による保護〔略〕を、無差別平等に受けることができる」と規定しており、生活困窮者の身分や信条などと共に、生活困窮に陥った原因による差別を禁じている。すなわち、「なぜその人が困窮しているのか」という問いそのものを問わない、線引きはしない、ということである。これは、日本国憲法において、「すべて国民は、健康で文化的な最低限度の生活を営む権利を有する」と規定されているからである。そこには、社会の compassion や連帯などといった議論が入り込むすきはない。「健康で文化的な最低限度の生活」は、国民の権利なのである。

今回の緊急施策においても、コロナ・ウィルスの影響とか、厳しい経済状況といった枕言葉が並べられているが、そういったことは関係ない。困窮そのものだけを見て、国民の権利である「健康で文化的な最低限度の生活」を淡々と保障して欲しい。

（1）「生活と支え合いに関する調査 結果の概要」（国立社会保障・人口問題研究所、二〇一七年七月）
http://www.ipss.go.jp/ss-seikatsu/j/2017/seikatsu2017summary.pdf

（2）日本の世帯数五八五二万七一一七世帯（住民基本台帳に基づく人口、人口動態及び世帯数のポイン

ト（二〇一九年一月一日現在）総務省　https://www.soumu.go.jp/main_content/000633313.pdf）
（3）「大阪府　子どもの生活に関する実態調査」（大阪府立大学、二〇一七年三月）　http://www.pref.osaka.lg.jp/attach/28281/0000000/01jittaityosahoukokousyo.pdf
（4）「沖縄子ども調査の結果について」（沖縄県）　https://www.pref.okinawa.jp/site/kodomo/kodomomirai/kodomotyosa/kekkagaiyo.html
（5）「人口推計（二〇一九年一〇月一日現在）全国：年齢（各歳）、男女別人口・都道府県：年齢（五歳階級）、男女別人口」（総務省統計局、二〇二〇年）　https://www.stat.go.jp/data/jinsui/2019np/index.html
（6）https://www.acf.hhs.gov/ocs/programs/liheap/about
（7）BuzzFeedNews　https://www.buzzfeed.com/jp/naokoiwanaga/donat-stop-lifeline



あべ　あや　社会政策学者。東京都立大学教授。子ども・若者貧困研究センター長。『子どもの貧困――日本の不公平を考える』『弱者の居場所がない社会』『子どもの貧困Ⅱ――解決策を考える』など。

## 秋山正子

# 訪問看護と相談の現場から

私は看護師として、一九九二年から訪問看護の世界で活動してきました。いまは東京の新宿で、最期まで住み慣れた家で過ごしたいという高齢者、がんの患者さんや家族の気持ちに寄り添いながら、医師や薬剤師、理学療法士など医療の専門家、また介護・福祉の専門家などと協力して、数多くの人の在宅療養を支え、看取りまでケアできるチームを育てました。

日本では、まだまだ病院で最期を迎える人が圧倒的に多いのですが、近年少し減少していて、一方、家で亡くなる人(自宅死)の割合は増えています。全国でみると二〇一四年度には一二・八%でしたが、二〇一八年度には一三・七%でした(「在宅医療にかかわる地域別データ集」厚生労働省。自宅死には孤立死の人も含まれます)。

私のいる新宿区では二〇〇六年から、地域で最期まで暮らせるために「在宅療養体制整備」を重点施策の一つに挙げ、続いて「在宅療養体制の充実」とし、積極的に取り組んできました。その結果、家で亡くなった人(自宅死)は、二〇一八年度には二一・八%になっています。

制度の面などから、望んだすべての人が家で最期を迎えるのはむずかしいという現状ではあります。しかし超高齢社会は、多くの方が亡くなる社会でもあるのです。

また医療的ケアの必要な子どもや、精神疾患を抱える人が地域で暮らせるように、という流れも進んでいます。その面からも、訪問看護や在宅医療など「在宅」への関心は、ますます高まってきているといえるでしょう。後で述べるように、新型コロナウイルス感染拡大予防のため面会制限のかかった病院・施設から退院してきて在宅移行が進んだ地域もあります。

## 治療を受けながら、日常を過ごすという時代

最期をすごす、というだけでなく、いまは様々な治療を受けながら家で過ごす、通院しながら仕事を続けるという人も増えてきています。実際、がんの患者さんの治療の多くは外来でおこなわれています。また早期発見や医療の進歩により治療後に、がんとともに歩みつつ、一〇年、二〇年と、家で暮らし、働き、日常生活を営んでいる人もたくさんいます。このように病院ではないところで暮らす人たちをサポートするのも、訪問看護、そして地域医療の大切な役割になっています。

私自身、訪問看護を続ける中で自宅での看取りを数多く経験してきました。でも本人が最期をどこですごしたいのか、という希望をかなえるためには、もっと前の段階で相談できる場所

があるといいのではと考え始めました。そのきっかけは二〇〇八年に初めて知り、すぐに訪ねたマギーズキャンサーケアリングセンター（マギーズセンター）でした。

このマギーズセンターは、一九九六年にイギリスで生まれました。造園家、造園史家でもあるマギー・ジェンクスさんは、乳がんの再発により余命を医師に告げられ、強いショックを受けましたが、次の患者が待っているため、その場をすぐに立ち去らなければなりませんでした。このとき彼女は、がん患者のための空間と、相談ができる専門家のいる場所が必要だと強く心に思い、それを自らつくろうと考えました。そして担当看護師のローラ・リーさんとともに、エジンバラの病院の施設内に誰もが立ち寄れる場所、マギーズセンターをつくったのです。マギーさんは完成前に亡くなりましたが、その遺志はひきつがれ、現在マギーズセンターはイギリス国内のみならず、香港、日本など海外も含めて世界二五カ所にあります。

私はこのようながんの患者さんが相談できる施設は日本でも必要であると考え、ぜひつくりたいと思いましたが、すぐに、これだけのものを日本につくるのは困難でした。

## 暮らしの保健室

新宿で訪問看護を続けている中で、マギーズの構想とともに、在宅での看取りを考えることができる地域の相談の場をつくれないだろうかと考えていたところ、それに賛同してスペースを提供してくださる方がいらっしゃいました。そして新宿の団地の中で、「暮らしの保健室」を二〇一一年に始めました。

暮らしの保健室は、地域のよろず相談の場で、名称はいろいろありますが全国各地で誕生しています。ここ新宿の暮らしの保健室は、地域のすべての人に開かれた場所で、誰もが気軽に訪ねてくることができ、お茶を飲みながらゆっくりと話すという雰囲気を大事にしています。

医療や看護、介護に携わる専門家が、訪れた人の健康や生活にかかわる相談を受けています。医師に病院で言われたことがよくわからない、というような日常的な相談から、家族が退院したあと地域の医療者をどこで探せばいいのか、といったように病院と患者さん、病院と地域の医療者との橋渡しもします。認知症の人、がんの患者さんの相談もおこなっています。ここで相談を受けたことをきっかけに、在宅での診療、看護、介護がはじまり、最期まで家で過ごすことができたというケースも、しばしばあります。

ここでは新型コロナウイルスの感染が拡大し始めてからも、少人数での相談は続けています。しかし、相談内容は変わってきました。家族が退院をするので、いつ、どのように自宅に戻るのか、その後の医療、看護はどうするのか、といった話をしようと思っても、家族が面会するのはむずかしいため話し合いができていない。また、いつも通っている病院は新型コロナの患者が入院しているようなので外来に行くのを躊躇してしまうのだが、というような声もありました。そのほか、家にずっと閉じこもっているとストレスがたまるので、暮らしの保健室まで歩いてきました、という人もいました。

暮らしの保健室のまわりには多くの高齢者が暮らしていて、その人たちをみていると、緊張感をもって外出を控え、マスクをして必要な買い物だけをさっとして、手洗いなどをきちんとして、そのほかは自粛をし、ステイホームを真面目に守っていました。毎年多いインフルエンザが今年は少なかったのも、このことが背景にあるのかもしれません。

しかし、このように長期にわたって室内にこもっていると、運動不足や人に会わないことから、健康な状態から要介護状態への途中段階といわれているフレイルになるのではと心配になります。実際、運動不足から転んで骨折をした人、食事はきちんと摂っているつもりだったのですが不安な気持ちが強くなり免疫力が低下して病気になった人もいました。毎週かかさず暮らしの保健室に来ていた認知症の方は、近所のデイサービスも休みになってしまい一人で過ごしていました。そのためか久しぶりに電話したところ、なかなか言葉が出てきませんでした。

一方、悪い影響だけはありませんでした。大きな病院を指向されていた九〇代の人は、大病院に生活習慣病の診察のため通い、薬を一四種類以上のんでいました。でも今回の新型コロナのことから大病院にいくのが心配になったとの相談があり、話をうかがい、まず薬の相談にのったところ、結果として五種類ほどでいいことがわかりました。

また大病院は臓器別になっていて、一人の人間として全体を診てもらえていないことに気づき、かかりつけ医になってくれる近所の診療所に変わりたいと希望されたので、紹介しました。その医師は必要があれば訪問診療もしてくれることになり、この九〇代の人は最期まで「在宅」で過ごせる環境が整ったのです。本来の医療のあり方に立ち戻ったともいえます。このような傾向は、今後、家で最期まで過ごすという新たな道筋になっていくかもしれません。

## マギーズ東京がオープン

二〇〇八年にマギーズセンターを訪問してから八年後の二〇一六年秋、実に多くの方たちの支援を受けて「マギーズ東京」をオープンしました。共同代表の鈴木美穂さんとは、二〇一四年に暮らしの保健室に訪ねてきてくださったことで出会いました。

誰もが予約なしに訪ねることができ、その場にいる看護師や心理士と話すことも、一人で過ごすことも可能な空間です。ボランティアの人たちによる緑や花に囲まれた、おだやかな時間の流れる木造建築のこの場所には、外来の帰りに立ち寄る方、働きながらがん治療を続けることで悩んでいる方、家族としてどう向き合ったらいいのかを相談に来られる方など、様々な人がいらっしゃいます。

ここは新型コロナウイルスの感染拡大をうけて、メールと電話だけの相談になりました。医療機関を訪ねても、外来の雰囲気がぴりぴりしていて質問したいことがあっても聞くに聞けない。抗がん剤治療を始めるのが、感染拡大の影響を受け、遅れることになりそうで心配である。新型コロナの影響で仕事がなくなるかもしれず、治療費が今後、払えなくなるかもしれない。このような相談が増えてきています。

また、いままでがんへの不安は友人との雑談などで解消してきたが、それができなくなり、ネット情報をみて悪いことばかり考えてしまって落ち込んでしまい、さらに不安が強くなったというような相談もありました。六月に入り、その方と一度対面でお話をしたところ、一時間ほどで落ち着いてこられたのがわかりました。不安な気持ちは、今後また起こる可能性はありますが、それへの対処を自分の力でできるようになってきたということが伝わってきました。対面での相談の重要性を感じたケースでもありました。

## 人生の最期をどこで、どのように迎えるのか

先ほども述べましたが、どこで人生の最期を迎えたいのか、患者さんは何を望んでいるのか、ということを私は常に考えながら、看護に携わってきました。また本人や家族と相談を重ね、ほかの医療従事者との新たな連携を模索してきました。

人生一〇〇年時代と言われています。その人が、病院や施設で最期を迎えることを望むなら

ば、それも選択肢としてあるかもしれません。

でも住み慣れた地域で家で、最期まで過ごしたいという考え方もあるでしょう。日常生活の延長上に毎日のその人の暮らしがあるのだから、そこに医療も看護も介護もかかわることができます。そして、その延長線上に人生の最期もあります。そのような考えから、私はこの数年間、家で最期まで過ごせるような制度のありかたを模索し提言できるようにし、考えてきました。実際に家で最期まで過ごした方々の数年間の記録を、そのケースにかかわった人たちとともに、改めて振り返るという勉強会もおこなってきて、ちょうど一〇〇回目を迎えたところでした。

また相談を受けた「目の前の人」だけでなく、その「向こう側の人」のことも考え、地域の中に同じような相談を抱える人がいるのでは、と想像することで、地域の人にとって本当に必要なものがより明確に浮かび上がってきます。そのことを活かしつつ、地域を考え、つくり、育てていくことにも携わってきました。

## 新型コロナウイルスとともに生きる

家で最期まで、という機運が高まってきたときの新型コロナウイルスによる感染拡大は、私にとっても衝撃でした。訪問看護や介護の現場でも緊張が走りました。訪問先の方に感染をさせてはいけない。自分も感染してはいけない。看護師は、そのなかで一人ひとりが、そのときにできるベストを、日々真剣に考えていました。陽性の方が在宅で過ごしたいというときにはどのようにしたらいいのか、など、これからまだまだ現場では考えるべきことが出てくるでしょう。

同時に、今回の新型コロナのことにより、人生の最期をどこで迎えるのか、ということを改めて考える必要性に迫られた患者さん、家族も多くいました。

たとえば、緩和ケア病棟やホスピスにいる、がんの患者さんの中には面会制限がかかって、家族と切り離されているので、むしろ家に戻りたいと考えた人もいました。そして実際に何人かの方が、三月以降、家で過ごすことを選ばれました。

また、施設で暮らしていたある高齢の方の体調が急変しました。家族はすぐに面会をしたかったのですが、感染予防のためすぐには会うことができず、結果として最期をみとることができませんでした。

リモート会議で家にいるのが増えたことにより、地域の居場所を早い段階から考え始めた人も出てきました。いまは、まだ介護を受ける世代ではないですが、将来のことを考えるきっかけになったようで、このまま年齢を重ねて、家族と過ごすその先に、老いや死があることをなんとなく考えるようになったと語る壮年期の男性にも出会いました。もっと地域のことを知らなければ、これからは自分が困ると感じてボランティアデビューをするにはどうしたらよいかなど真剣に考えたというのです。これも新しい動きかもしれません。

最後に訪問看護では次の二つが重要です。一つめは、訪問先の方(患者さん)は一日の中で訪問看護師のいない時間を過ごしているほうが長いので、その時間を一人、もしくは家族とともに安心して過ごせるように支援していきます。そこでは相手が本来もっているはずの力を見極め、引き出すという関わり方になります。二つめは、病気などの話だけでなく、相手が一番関心をもっていることを話し、関係性を構築し、それをケアにつなげていきます。これは対話を通して、相手の背景などを探っていくことにもつながります。この二つは、相談を受けるときにも必要とされている、人との向き合い方でもあるのです。

新型コロナウイルスとともに生きる時代にあっては、先が見えず、健康面も含めて不安は消えないでしょう。そのときに、このようなケアのあり方、そして相談の場は、ますます必要になってくるのではと、私は考えています。

あきやま まさこ　一九五〇年生まれ。白十字訪問看護ステーション統括所長。マギーズ東京センター長。『つながる・ささえる・つくりだす 在宅現場の地域包括ケア』ほか。

# スポーツ、五輪は、どう変わるのか

山口香

## はじめに

新型コロナウイルス感染拡大を受けて２０２０東京オリンピック・パラリンピック（以下、東京２０２０）が一年延期された。これ以外にも国内外において史上初めて中止を余儀なくされている大会が後を絶たない。スポーツは、身体接触を伴ったり、集団で活動したりするため、感染予防とは対極にあり、活動自体がリスクとなる。一方で、身体不活動の状態はウイルス感染以外の健康リスクが懸念される。

五輪を含むスポーツは時に戦争、テロ、ドーピングなど様々な危機と対峙しながら、完勝とは至らずとも均衡を保ちながら現在に至っている。しかし、直面しているコロナウイルスとの戦いは、これまで経験したことのない脅威となってスポーツの存在を脅かしている。この危機にスポーツ界がどう立ち向かい、解決策を見出していくのか。また、この機を捉えてスポーツに内在していた課題と向き合うことも終息後のスポーツを考える道筋となるに違いない。

## 変わらない政治支配の五輪

オリンピック開催か否かの議論が避けられない空気になってきた三月、海外のアスリートは声をあげたが、開催地である日本のアスリートから声があがることはなかった。

私たちには苦い経験がある。一九八〇年、ソ連のアフガニスタン侵攻に抗議して米国はモスクワ五輪ボイコットを表明し、日本を含む他の西側諸国にも賛同を呼びかけた。日本政府は、米国に続き不参加を決めた(最終的な決定は日本オリンピック委員会、以下、JOC)。既に代表が決定し、金メダルが有力視されていたレスリングの高田裕司氏や柔道の山下泰裕氏が涙ながらに参加したいと訴えた姿は痛々しく、アスリートの無力さを感じた。「西側諸国の多くがボイコットした」という枕詞で語られるモスクワ五輪だが、実際には英国やフランスなどからは国の代表としてではなく、個人資格で参加した選手が少なくなかった。当時、日本のアスリートに個人資格での参加の可能性について検討する意識があっただろうか。スポーツやオリンピックが誰のためのものであるかという明確な意思が根底に存在しなければ発想し得ない。四〇年前の教訓は、日本のスポーツ界、アスリートに活かされたのだろうか。

三月下旬、国際オリンピック委員会(以下、IOC)のトーマス・バッハ会長と安倍首相の電話会談で東京五輪の延期が決まったが、その席に残念ながらスポーツ関係者はいなかった。五輪は過去、戦争による中止は五回あるが延期の例がなかったため、IOCから延期の言質を得た日本側の出席者はハイタッチで喜びを分かち合ったと伝えられた。この状況を読み解けば、中止の選択肢も少なからずあったということである。もし、中止という結論であったとしたら……。アスリートたちは四〇年前と同じように全てが決まった報告の後に、「やらせてほしい」と哀願するだけだったのだろうか。あの時、涙を流した山下氏は今、JOC会長として、アスリートへ説明する側の立場になっていることは皮肉な巡り合わせだ。自分が出席できなかった会議で出された決定をアスリートたちにはどのように説明するつもりだったのだろうか。政治に支配される五輪の構図は今も変わっていない。

### スポーツ界の信頼回復に向けて

スポーツ界は、社会との関わりや発信という面で消極的にみえる。スポーツ界で不祥事が起きると第三者委員会等から、閉鎖的な人間関係が社会の通念とは違う価値観や行動様式につながっていると指摘される。東京2020延期を決めたプロセスも、世界中でコロナウイルスが猛威を振るい、ロックダウンする都市が増える状況の中、スポーツ関係者は「開催に向けて努力する」という強硬な姿勢を見せ続けた。おそらく一般人から見れば、「現実が見えているのか」「この状態でできると思うのはおかしい」と映ったに違いない。オリンピックメダリストは、著名人ではあるが文化人、教養人として評価されているかというと少し危うい。スポーツ・五輪は社会と乖離してはならない。社会で認知され、信頼を得られてこそスポーツの力や価値が生かされる。

SNSを使ってメディアを介さずに個人で発信するアスリートが増えている。スポーツが社会とつながるツールとして非常に有効だと思う。時には、批判を浴び、炎上することもあるだろうが怯まずに続けてもらいたい。社会とつながることでスポーツやアスリートの社会での立ち位置も見えてくる。批判する人のツイートには「お前はスポーツしか知りもしないのに言うな」といったものが散見される。アスリートはスポーツでは凄いかもしれないが、他のことは何も知らない、教養人ではないと見なされている。これがスポーツ界に対する評価であり、本音だ。五輪についても「この状態でできると思っているのか」「中止しかないだろう。これ以上、お金を使うのはあり得ない」と言う意見も増え始めている。

社会にある様々な声に敏感になりすぎて、縮こまったり、迎合する必要はないが、社会がスポーツ界をどのように見ているかを知ることは大事だ。スポーツやオリンピックは誰もが好きで、応援してくれると思うのは間違いであり、慢心である。コロナ終息後には、ダメージを受けた経済の立て直しが最優先事項となるはずである。自国開催という旗印のもとに出されていた潤沢な強化補助金も大幅な削減となることは目に見えている。「金メダル獲得のためにお金が必要」というだけでは理解は得られない。多くの人が生活に困窮し、倒産する企業もある中で、五輪は特別だとは言えない。リーマンショックの際に多くの企業は支援していたスポーツチームを解散した。

スポーツ界、アスリートは言葉を持たなければいけない。トップスポーツにおいては科学的なエビデンスに基づいて緻密な強化が行われ、結果を出しているように、相手を説得するための根拠を示して対峙すべきだ。コロナ終息の状況次第では来夏の開催も確実ではない。次の決断がなされる時には、スポーツ界も議論に加わるべきだ。コロナウイルスに関係する政策決定には、感染症や経済の専門家会議が存在する。それらの意見を総合的に勘案し、政府や自治体の長が判断を下す。一方で五輪はどうだろう。三月二七日の参院予算委員会で安倍総理は、東京2020の一年程度の延期をIOCに提案したことについて「専門家の助言はいただいていないが、政治的に判断しなければならない」と述べた。スポーツ界はこの発言をどのように受け止めただろう。五輪の意思決定にスポーツ界の助言は必要ないと明言されたのだ。安倍総理を責めるよりも、「聞く価値なし」と思われる存在に甘んじてきた自分たちを恥じたい。来夏の五輪開催の有無を判断すべきタイムリミットはいつになるのだろう。それぞれの競技団体は、アスリートが通常のトレーニングを再開できてからベストな状態に仕上がるにはどの程度の時間が必要か、予選となる大会（国内外）がいつまでに開催できれば間に合うのかなどを検討し、一般にも公表すべきである。スポーツ界が明確な指標を持ってデッドラインを示すことで、感情論ではなく、知見を持って判断できる団体であるという信頼を得られるだろう。

## 持続可能な五輪への歩み

五輪はどこに向かっていくのだろうか。五輪は平和の祭典と言われ、世界平和に貢献するという理念だったが、ウイルスとの戦いに直面している今、改めて世界が平穏な日常を担保しているから行えるイベントなのだということを痛感した。コロナによって、これまで見ないふりをしていた課題が浮き彫りになり、向き合わざるを得なくなったことがあるが、五輪がその一つだろう。もしも2020が東京開催でなかったら、スポーツ関係者のみの他人事として済ませることもできただろうが、図らずも日本全体が当事者となり、綺麗事では済まされなくなった。

東京2020の招致が決まったのは二〇一三年の九月である。招致成功の争点の一つが、都民や国民の支持率だった。リオに決定した二〇一六年大会にも東京は立候補したが敗れ、敗因は支持率の低さと指摘された。不支持の主な意見は「3・11からの復興も道半ばで、オリンピックに大金を使っていいのか」、「税金は福祉などに使ってほしい」、「いい思いをするのはゼネコンや広告代理店くらい」などだった。五輪は始まってしまえばなんだかんだ言っていても、自国選手の活躍に沸き、楽しいけれど、それ以上でもそれ以下でもないというのが正直なところか。コロナウイルス発生前から、私は何度も新聞等から2020東京五輪の理念や意義を考えるという取材を受けた。つまり、明確な理念や意義が共有されていないということである。

一八九六年に第一回アテネ大会が開催されて以来、一〇〇年以上の歴史を持つ近代五輪だが、この先の一〇〇年を考えると持続可能な大会だろうか。世界平和の実現に貢献するという理念はもっともだが、理念以上に優先されるものが透けて見える。アスリートファーストという言葉も空虚さを増している。「猛暑の七~八月にしか開催できないのはなぜか」、「決勝の時間が開催国のゴールデンタイムではなく朝に設定されるのはなぜか」、「全ての決定権がIOCにあるのはなぜか」など、あげればキリがないほどの疑問がある。いずれの答えもアスリートファーストの観点ではないことは明白である。真の問いは、マネーファーストとも言われる五輪の本質に気がつきながらも続けていく価値があるのかということだろう。各競技は世界選手権やW杯を開催しており、五輪がなければならない価値はなんであるのかを説明できなければならない。

来夏に東京2020が開催できたとしたら、これまでとは違う大会となるに違いない。スポーツの復活を世界に示し、世界がウイルスとの戦いに勝利したことに感謝し、共に喜びを分かち合う場になるだろう。また、ＩＯＣが五輪の方向性を軌道修正できるチャンスかもしれない。行き過ぎた五輪ビジネスが破綻する前に自浄作用を発揮できるかどうか。ＩＯＣは延期によって生じる追加費用について最大八五六億円を負担すると表明したが、追加費用の全体像が見えない中で、この負担が相当であるのか、そもそも東京都や組織委員会との話し合いがあっての金額かも不明瞭だ。ＩＯＣの対応如何では、今後、招致に手を上げる国や都市はさらに減るだろう。現時点においても莫大な五輪開催費用、過去の開催都市が使用したスタジアムなどが負の遺産となっていることなどから立候補都市は減り続けている。住民投票で立候補を取りやめた都市もある。ＩＯＣの東京２０２０への対応を今後、立候補を予定している都市は注意深く見ているに違いない。札幌も二度目の冬季五輪立候補を検討(時期は未確定)しているが、日本国民が五輪招致を再び切望するかどうかも東京大会のあり様にかかってくるだろう。

## スポーツ本来の価値

犬を連れて公園を散歩していると以前とは少し違う光景を見ることができる。バドミントンをしているカップル、キャッチボールをしている親子、木と木を紐で結んでバレーボールをする若者などだ。散歩やジョギングしている人も増えているように思う。スポーツ庁は、健康の維持増進や体力保持の観点から成人のスポーツ実施率を週一回以上が六五％程度となることを目標としている。現代人は、仕事や様々な理由からスポーツや身体活動を十分に行えていない実態があり、スポーツ庁や厚労省は様々な施策を展開しているが、なかなか改善は見られていない。

スポーツの語源はラテン語の「deportare」に遡るとされ、意味は「日常から離れる、気晴らしをする、遊び、楽しみ」などである。今、まさに人々は、家を出て気晴らしを求めているに違いない。様々なテクノロジーの発達によって、人間は身体を酷使せずとも目的を達することができる便利さを享受している。その結果、健康や体力が奪われ、意識して体を動かさねばならない状況にある。超高齢社会に突入した我が国では、健康寿命の延伸や保険料の削減は喫緊の課題であり、国や自治体も施策を展開しているが目に見える成果は得られていない。

現時点で国民のスポーツ実施率が上がったかどうかはわからないが、人間は身体活動やスポーツを行うことを欲するという本質的なところに気がついたような気がする。どんなに優れた施策であっても本質的な部分を理解しなければ、自発的に行動変容を起こすのは難しい。活動自粛、ステイ・ホームという極端な状況に置かれた結果、人々が身体を動かすことの価値に気がつくことになったとすれば、コロナの副産物の一つかもしれない。

ＡＩ、ＩＴ化は、ますます進んでいくだろうが、スポーツは人間が行うものであり、自然に依拠した活動であるとも言え、社会がどのように変化しても無くなることはないだろう。組織的なスポーツ活動は、ほぼ全面的に停止している状態で、コロナ終息後のスポーツの在り様を心配する声もある。しかしながら、これまでの勝利を目指すチャンピオンスポーツ、健康のため、ダイエットのためといった枠にとらわれない本来の自由なスポーツへ回帰するチャンスなのかもしれない。

## おわりに

緊急事態宣言が解除され、社会は少しずつではあるが日常を取り戻しつつある。多くの人が、以前には戻れないと言うが果たしてそうだろうか。確かに、マスクの着用やソーシャル・ディスタンシングなどは維持されるだろうが、考え方や取り組みが以前に戻ってしまうのは意外と簡単かもしれない。長く続いた学校の休業では、九月入学を検討する声が上がった。多くの企業が時差出勤やテレワークを取り入れ、捺印の廃止も行った。これまでの慣習やシステムを一気に変える寸前まではきたが、ここで変わることができなければ次のチャンスはいつになるだろう。コロナの収束を待ち望む一方で、未来に向けた議論までも立ち消えになってしまうのは残念だ。

スポーツ界はどうだろう。スポーツにとってコロナの脅威はこれまで経験したいかなるものよりも大きな爪痕を残している。プロ野球とJリーグの開催日程が発表されたが、当分は無観客となる。延期されたオリンピックも開会式の簡素化や試合方式の変更も検討されている。コロナによって、例年通りに実行されてきたことを見直すチャンスとも捉えることができる。ワクチンや新薬が開発され、以前のようなスポーツ活動が行えるようになる日は必ず来るだろう。その時に、以前の姿を取り戻すのではなく、進化した新たなスポーツやオリンピックを示すことができれば、コロナによって立ち止まった時間も無駄にはならない。

（二〇二〇年六月一〇日・記）

やまぐち かおり 一九六四年東京都生まれ。筑波大学体育系教授、日本オリンピック委員会理事。八四年柔道女子世界選手権優勝、八八年ソウル五輪銅メダル。『残念なメダリスト チャンピオンに学ぶ人生勝利学・失敗学』『日本柔道の論点』など。

## コロナの後の都市と建築

隈 研吾

疫病は、都市や建築を、何度も大きく転換させ、作り変えてきた。歴史を振り返ってみても、ペストによって、中世の密集した街と狭い路地は嫌われ、ルネサンスの整然とした都市と、幾何学が支配する大ぶりな建築が生まれた。では、今、コロナの後に、われわれは、どのような都市を作り、どのような建築を作らなければいけないのだろうか。

### ハコからの脱却

ひとつのテーマは、ハコからの脱却である。二〇世紀に、人々はハコに閉じ込められた。ハコの中で仕事をする方が効率がいいとされて、超高層ビルに代表される大きなオフィスビルや大工場に、一定時間閉じ込められて、働かされた。そのハコに出勤し、帰宅するために、再び鉄のハコに閉じ込められ、密を強要された。大きなハコで働き、通勤する人が、この世紀にはエリートとされた。そして都市はハコに埋め尽くされ、ハコとハコとの隙間も、鉄のハコの移動のための空間でしかなかった。この世紀は「自由の世紀」ともいわれたが、人々の暮らしを見る限り、ハコに閉じ込められた人々は、自由からは遠い存在に見えた。

実際にはハコに閉じ込められなくても、十分に効率的に仕事ができる技術を、すでにわれわれは手に入れている。今回のコロナ騒動によって、多くの企業がテレワークに踏み切ったが、「やればできたんだ」というのが、人々の感想であった。やればできたものを、やらないままにいたつけが、このような形でわれわれに降りかかってきた。

ハコに閉じ込める仕事のやり方は、女性にも多くの犠牲を強いた。出産や子育ての時期には、ハコに通ってみんなで仕事をすることが難しい。そのために多くの有能な女性が仕事から排除され、社会から排除されてきた。そのような女性を再び社会が受け入れるきっかけを、今回の疫病が作ることにならなければ、社会が払ったこれだけの犠牲が浮かばれないだろう。

今回僕は、随分と歩いた。歩くことで体調を整え、また歩きながら様々なことを考え、様々なものを頭の中の紙の上でスケッチした。古代ギリシャのアリストテレスの一派は、歩廊で歩きながら講義を行い、逍遥学派と呼ばれた。歩きながら思考するという方法は、アリストテレスの師のプラトン、その師であるソクラテスから学んだといわれている。僕は歩き疲れると公園のベンチで仕事をした。ハコの外にいても充分な仕事はできるのである。むしろ普段は思いつかない新鮮な発想も生まれた。

歩くとは、人との距離を自由に選べるということでもある。密着したい時は、歩み寄って抱きしめればいいし、距離をとりたい時は、いくらでも遠ざかることができる。鉄のハコに詰め込まれて移動している時は、そうはいかない。歩くということは、いつも一人でいるということであり、自由であるということである。

公園は空調しなくても、充分に気持ちがいいが、ハコは空調し続けなければならない。昼間も照明で照らし続けなければならない。特に、最も効率がよいとされた大きなハコは、自然換気だけでは温湿度のコントロールができないので、空調が必須である。ハコの文明はすなわち、空調文明でもあった。それは同時に石油文明でもあった。安い化石燃料を燃やすことで、ハコが成立していたが、このシステムが長くは続かないことに、人々は気づき始めていた。しかし、ハコを出ようとは誰も思わなかった。ハコは作り続けられていたし、より大きなハコが企業や都市のレベルを示すことだとみなされ、進んでいると考えられていた。そのような時に、コロナがやってきて、政府から、不要不急の時以外はハコに行くなといわれたわけである。

ハコからの脱却は、室内からの脱却ということでもある。僕はこれを、もう一回外を歩くことだと理解した。都市計画では、コンパクトシティということが、叫ばれはじめていた。都心の大きなハコで働いて、遠くの郊外に住むという二〇世紀のライフスタイルを続けると、都市はどんどん拡大していってしまい、通勤と輸送にかかるコストやエネルギーを拡大する一方となる。地球温暖化にも歯止めがきかない。オフィスの近くに住んで、通勤の距離を縮めようというのが、コンパクトシティの考えである。都市計画の人たちは新しい言葉が好きで、スマート・シティという言葉も最近よく聞かれるが、どちらも、ハコ自体を解体しようという意識は希薄のように見える。ハコを作る建設産業をエンジンとして回転していた、二〇世紀の産業資本主義システムは、いまだに健在なのである。都市計画も建築業界も、依然としてその利益共同体の傘下にあり、それを前提としてのスマート・シティなのである。

新しいテクノロジーでエネルギー消費を削減するといっても、ハコを温存する限りは、ただハコが重装備になるだけで、ハコの値段が上がるだけで、都市の息苦しさは、いつまでたっても解消されない。新しい交通も結構であるが、歩くことは、単なる移動ではない。歩くこと自体が最も重要な時間となり、最も重要な時間を与えてくれるのである。

## 「密」空間の増殖

ハコにこだわるということは、室内にこだわっているということと同義である。人間が室内に暮らすようになったのは、エアコン（空調）という悪魔的な機械が登場してからであり、それほど歴史は古くない。学生の頃、僕は世界の集落の調査に明け暮れていたが、集落において、室内で人間が過ごす時間は驚くほどに短かかった。殆どの時間を人々は、外部か、あるいは縁

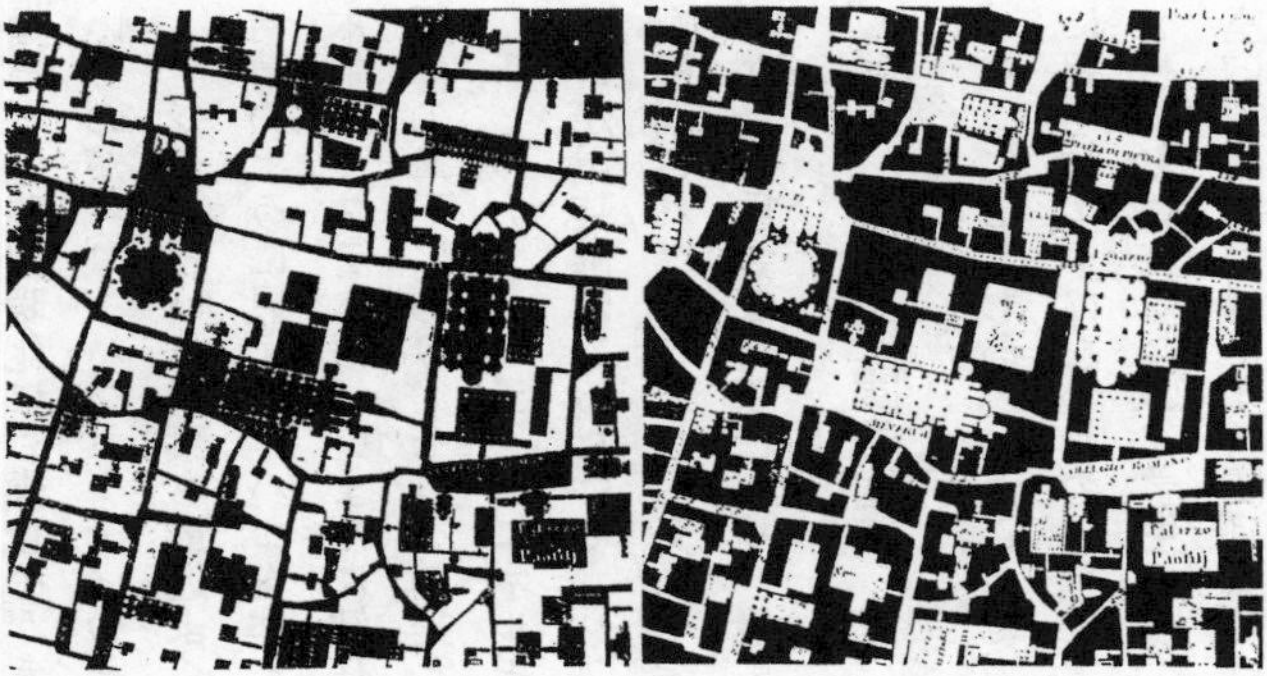


図1　ジャンバティスタ・ノリが描いた「ローマの地図」

側、ベランダのような中間領域で快適に過ごしていた。

一八世紀のイタリアのジャンバティスタ・ノリが描いた地図（一七四八）は、当時もまだ室外というものがいかに重要な生活空間であったかを示している。ノリはローマの市街地を、白と黒の二色に塗り分けているのだが、建築が黒で、広場や街が白という通常の塗分けではない。誰もがアクセスできる空間は、外部空間だけではなく、教会堂も含めて白であり、個人の邸宅のようにアクセスできない空間だけが、黒なのである。これを見た時、東京にはほとんど白い空間がないと感じた。誰もがアクセスできる白がネットワーク上につながって、都市の主役となっているローマを、うらやましく感じた。東京においては、道路もまた、車という「私」によって占有されている黒い空間であり、白は限りなく小さく、その小さな空間に人がひしめきあって、コロナの温床の「密」空間が生まれたのである。

二〇世紀におけるエアコンの発明によって、室内は密閉され、エアコンは室内の温度を下げるのとは逆に、室外の温度を上昇させ、室外はいよいよ不快な空間となった。二〇世紀に登場したもうひとつの大きな技術、車によって、室外はいよいよ不快で人のいられない場所へと落ちていった。ノリの地図では白い場所だったはずの街路が、車とエアコンによって、どんどんどす黒く汚されていったのである。そのプロセスの果てに、地球温暖化が進行し、地球温暖化は、グローバルなレベルで街路という居場所を、人間から奪おうとしているのである。

必要なのは、単に白い場所を増やし、つなげ直すことだけではない。ノリの地図による白い場所、すなわち誰でもアクセスできるパブリック空間の中で、どう振舞うか。その問題も、今日のコロナによって、新たにわれわれにつきつけられた。

## ホールの距離論

最低二メートルの距離をとりなさいと、繰り返し注意が喚起された。人間と人間との距離については、エドワード・ホールの『かくれた次元』(一九六六)という名著がある。ホール自身は文化人類学者であるが、この本のおもしろさは、動物同士の距離——敵からの逃走距離、仲間とコミュニケーションを行う際の距離——のスタディから論を始めていることである。生と死の境に立たされて、われわれは自分達が動物であることと向き合わされ、動物として、他の個体との距離に神経をとがらせている。動物個体距離から説き起こすホールの論は、説得力がある。距離をパラメーターにして人間関係論が始まるのであるが、その研究の新しさと重要性を強調するために、ホールはその研究の方法をプロクセミックス(proxemics)と呼んだ。『かくれた次元』というタイトルも意味深であり、空間は通常三次と定義されるが、その空間の中に一つ、ベンチなり、彫刻を置けば、そこに別の次元を加えることができるという指摘は、一次元、二次元、三次元、という、人間が考えだした三分類の貧しさ、粗雑さを暴き出している。

## 「筋肉の参加」が生み出すもの

ホールの指摘で最も面白かったのは、アメリカ人と日本人の距離に対する繊細さの相違である。アメリカ人は触れるか触れないかという極めて単純な基準だけで空間の大きさを認識しようとするとホールは発見した。この指摘は超高層オフィス、すなわち人に触れずに仕事ができるだけが利点の大きなハコの発明者が、他ならぬアメリカ人であることを見事に説明する。

一方日本人は、日本庭園の中に典型的に見られるように、人の筋肉感覚を駆使させながら——すなわち踏石や段差などで筋肉に働きかけながら——決して広いとはいえない空間の中に、様々な場所を作り、様々な種類の距離を作っていると、ホールは日本庭園を賛美する。そこからさらに建築論にまで踏み込み、フランク・ロイド・ライトの設計した旧帝国ホテル(一九二三)は、日本庭園の筋肉感覚と視覚とを統合する方法の建築への応用であり、ライトのアメリカでの建築群とは一線を画するというのである。ホールは、ひいきの引き倒しではないかと感じさせるほどに、日本人の距離に対する繊細な感覚を褒めたたえている。

詳細に見れば、ライトはすでに帝国ホテル以前にこの筋肉的手法を試みているが、その起源がライトの浮世絵収集のための複数回の日本体験であったことを考えれば、ライトがそこで見た日本庭園の手法を利用して、アメリカ流の大ざっぱなハコの方法を超えたという指摘は極めて当たっている。そして日本の庭園の中に様々な距離が内蔵され、様々な人間関係を埋め込むことができるのは、それが歩くことを前提とする空間だからであり、歩くことによって空間を認識する時に、筋肉感覚が動員されることになるのだと、僕は付け加えたい。歩くことを僕が推奨するのは、歩くことによって空間に筋肉が参加することが要請されるからである。筋肉の参加によって、一見何もないヴォイドと見えるパブリック空間、ノリの地図における白い空間の中に、様々な場所が生まれ、距離が生まれ、動物としての人間は、その多様な距離によって、自らの生命を守り、またある時は、仲間との間で、様々なコミュニケーションの形式、密度を選択するのである。

## 偶然の産物だった、屋根のない国立競技場

このように見てくると、僕が設計に携わった国立競技場が、屋根を載せなかったということが、歴史の偶然というよりは、歴史の必然のようにも見えてくる。第一回のコンペで選ばれたザハ・ハディッドの案に対して、建築家の槇文彦らが中心となり、神宮外苑の緑の景観にふさわしくないという運動が起こり、最終的には、当初予算の倍近くの工事費がかかるデザインであることが明らかになり、彼女の案はキャンセルされた。第二回のコンペでは、工事予算の絶対厳守がうたわれ、屋根は載せないという条件での提案が求められ、僕らの案が選ばれたのである。屋根を載せるか載せないかに関しては、準備段階から様々な議論があったと聞いている。オリンピック後に、音楽イベント等で収益をあげるには屋根が必要だという屋根派と、屋根はスポーツ施設としては重装備ではないかという反屋根派で意見がわかれたらしい。二次のコンペの要綱で、予算を優先して、屋根はなしと決められ、僕らはそれらに従って、屋根なしのデザインを提案した。

屋根はないかわりに庇が四層重なった形態とし、その庇と庇の隙間から、外苑の森の風が吹き込んで、空調を用いることなく、室内環境をコントロールするという提案をした。それは庭園の中に屋根や庇を浮かせることによって、環境をコントロールしようとしてきた伝統的建築

の方法を現代の都市の中に応用しようとする案であった。日本庭園の方法からスタートしたわけではなく、屋根のないスタジアムを、そのように外苑の森に融けこませ、どのようにエアコンなしで真夏でも気持ちよく競技を見てもらえるだろうかを考え、コンピューターで風の流れをシミュレーションした結果である。

予算を最優先にして屋根を架けないという決断を、もしその時の政治的、社会的情勢がもたらした一種の偶然とするならば、この風通しの良いスタジアムは偶然の産物ということになる。しかしコロナという疫病の前にオリンピックが開かれるわけではなく、疫病の後に開かれるとなると、そもそもは偶然であったはずの風通しのよいスタジアムが、一種の必然の産物のように見えてくる。

風通しのよいスタジアムが木でできていることも、それが一種の庭園的方法によってデザインされたこととつながっている。建築材料として木を多用しているだけではなく、中層の庇の上には植物が植えられていて、緑は成長し、実をつけ、花をつける。この建築はホールがライトの旧帝国ホテルの特徴として挙げた庭的手法によってデザインされているだけではなく、実際に変化し続ける庭なのである。

疫病の後に、庭のようなスタジアムが使われることで、偶然は必然へと変身を遂げた。あるいは、あの様々な偶然や騒ぎ自体が必然のようにも見えてくる。

疫病の後に、世界は庭をめざすのか、それともより重装備な大きいハコを作り、より完璧なエアコンを完備して、無菌の世界をめざすのか。その二択がわれわれの前にある。コロナへの様々な対応を眺めていると、大きなハコがすぐに消えるとも思えない。少なくとも、ハコはハコとして残るだろう。ハコが急に消滅するわけではない。

その時、僕はハコの隙間を一人で、慎重に距離を測りながら、歩き続け、歩きながら働こうと思う。そのように歩き始める人間が増えた時、ハコの隙間は十分に開かれた白い場所、充分に風の通る庭へと変身していることであろう。

くま　けんご　一九五四年神奈川県生まれ。建築家。『負ける建築』『自然な建築』『点・線・面』など。

# Ⅳ　コロナ禍のその先へ

## 世界隔離を終えるとき

最上敏樹

### 危機が鮮明にする世界

感染症は、記録に残るだけでも古代ギリシャ以来、ほとんど人類史とともにあり続けた。ペストやコレラ、チフスやインフルエンザなど、各種の感染症が数世紀ごとに人類を襲っている。そして、ラテンアメリカの一部など、ある一地域の住民がまるごと命を奪われた例はあるものの、全体としての人類が滅ぼされたことはない。にもかかわらず、人類は感染症襲撃のたびごとに怯える。理由は明白で、一定数の人間たちが死亡し、それも(おおむね)無差別に命を奪われるからである。こうして感染症は、人類にとって常態であり、かつ種としてそれに慣れることはない。

常態ではあるものの、多くの人が強い恐怖にとらえられ、通常とは異なった対応措置がとられるため、危機的事態は、ふだんは意識されない現実を浮かび上がらせる。そして浮かび上がってくるものの多くは、われわれの社会(国内・国際)に足りなかったもの、その歪み、異様さ、脆弱さなどである。

筆者がふだんから対象としている「国際社会」に即して言うなら、それは何より、《境界》というものの不自然さあるいは非機能性にほかならない。新型コロナウイルスがこの地球の大部分を襲った。ウイルスは国境とは無縁だが、それに対抗する人間のほうは国境で区切られた主権的国民国家ごとに対処する。つまり、「ボーダーレス」な脅威に対し「ボーダーフル」な対応をしているのだ。

国家があらゆる点で無用だとか無益だとは言えない。各々の伝統や文化は重要だし、弱小国にとって国家主権はみずからを守る砦たりうるだろう。防疫という問題についても、国家という限られた区域で実施するほうが効率的なこともある。だが、例えばスイスのバーゼルは独仏両国に接し、(感覚的には)市内に両国との国境が何本か存在する。しかもスイスはシェンゲン協定加盟国だから、ふだんはそれらの国境は開放されていて目に見えない。だから、効率的かつ実効的に防疫をしようとすれば、三国が別々の措置をとるのではなく、バーゼルとその周辺に一定の区切りを設定して共同の措置をとるほうが実際的なはずだ。

しかしこの世界はいまもなお、まずは因襲的に行動する。ウイルスがドイツ人もフランス人もなく無差別に攻撃していても、ドイツはドイツ人を守り、フランスはフランス人を守ることから始める。ある意味でそれは、他国の保健管轄権を尊重することでもあるし、自国民は自分たちで守るという責任の遂行であるかもしれない。しかし、各国がそれで守りきれればよいが、守りきれない国や十分に守ろうとしない国もある。実際に、そういう不都合が数多く起きるから、境界というものが問題になるのだ。それも感染症だけではない。戦争がないという意味での「平和」や、人権保障についても同様である。それが実現されるかどうかは、たまたまどの国境線の内側で生まれたか/住んでいるかに依存しているのだ。

ちなみに、ドイツやスイスは、自国の対処に余裕ができるとすぐに、周辺諸国の重症患者を受け入れ始めた。しかし一般的には、境界は障害として存在する。そのように見えにくい(地域によっては全く見えなくなっている)ものが、危機の時にはあっさりと姿を現し、見えるようになる。であるなら、危機はまた、そうして顕在化した社会問題克服の好機でもあるだろう。

## 世界隔離構造としての主権国家体制

筋違いだと言われるかもしれないが、この危機に対して国際法は何らかの役に立っているだろうか、としきりに考え続けてきた。割り切りの激しい国際法学者ならば、感染症などそもそも国際法とは無関係だと切って捨てるだろう。だが、ことは世界全体の安寧の問題であり、国際秩序の存亡にも関わる事柄である。もっと具体的に「法的な」問題を見たいと言うなら、国境が閉鎖され人や物の流通が妨げられている事態を見さえすればよい。

そうすると、そのように国境の閉鎖自体が国際法に従って行われているのであり、国際法が働いていることの証しだという答が返ってくるだろう。そのとおりである。そしてそれが筆者の自問自答への答にもなる。すなわち、この危機の解決に国際法は全く役に立っていない、ということである。

それだけではない。このような地球的危機にあって国際法は根元《ねもと》で堅固に機能している、ということも付け加えておく必要がある。つまり主権的国民国家という存在、そしてそれらが織りなす主権的国民国家体系というものが、まさしく国際法によって保障された「法的な」秩序なのだ。しかもそれは、経済力に基づく国際経済秩序(あるいは無秩序)、各国軍備や軍事同盟によって形作られる国際軍事秩序(あるいは無秩序)も、すべて主権的国民国家という存在が法的に担保されていることに基礎を置いている。

「主権」概念も「国民」という存在も、それぞれに意義を持ちうることはさきに述べた。だが、それらを脇に置くならば、国境を超える危機において国際法が果たしている役割は、世界を機能的ではない理由に基づいて分断し、いくつもの点で危機の克服を阻害している、ということに尽きる。

言い換えれば世界は、各国がロックダウンするはるかに以前からすでに、法によって二〇〇ほどの単位に分け隔てられているのだ。筆者はこれを世界隔離(Global Quarantine)の構造と呼ぶ。その隔離が人類の努力の積み重ねによって、友好国の間では次第に厳しさをやわらげる一方で、非友好国の間では閉ざしたままで咎められることもない。そして世界的危機ともなると、あたかも当然のように姿を現し、国々をそれぞれの《管轄権の箱》の中に押し込める。それが感染症の拡散防止のために最も合理的な境界であるという保証はどこにもない。

いや、国々は隔離されたままではいない、それらを結びつなぐ国際機構というものが、これも国際法の産物として厳然と存在するではないか、という見立てもありうるだろう。今回の危機に関しては、とりわけ世界保健機関(WHO)がそのような存在である。しかし、これまで世界の保健衛生についていくつも功績をあげた国際機構だが、今回の危機では(これまでのところ)感染の世界的拡大と深刻化を防ぐ盾の役割を果たしたとは言いがたい。武漢で発症が初確認された時に単なる中国賞讃だけで終わったこと、事態が悪化するのをよそにパンデミックへの注意喚起を遅らせたこと等々、機構の対処の真剣さおよび適切さを疑わせる対応がいくつもの段階であった。

テドロス事務局長が中国の後押しでその地位に就いたとか、機構全体が中国寄りになっているとかいった、米国・トランプ政権による感情的批判は脇に置こう。問題はこの機構が「世界のすべての人々に能うる限り最高水準の保健をもたらすこと」(世界保健機関憲章第一条)、そして「感染症、風土病その他の疾病を撲滅するための活動を活性化し、推進すること」(同第二条)という根本目的をきちんと果たしたか、ということである。

同時に、実際に中国への政治的配慮ゆえに機能不全に陥っていたのだとすれば、それは「事務局長はいかなる政府からの指示も求めず、また受けない」、そして「いずれの加盟国も事務局長の完全に国際的な性格を尊重する」(同第三七条)という規定に抵触する。にもかかわらず、それらの規定が現実に法規定としての実効性を持つことはほぼない。世界保健機関は主権国家の上に立つ超国家機関ではないし、主権国家によって生み出された存在に過ぎないからだ。こうして、第二次世界大戦以後の国際機構においてさえ、根源的な権力としての主権国家はしっかりと保たれている。

## グローバル化の影

国際秩序の分断性を生み出すのは国際法だけではない。ウイルスと同じく国境を超える事象の一つにいわゆる「グローバル化」がある。それを事象と呼び現象と呼ばないのは、ウイルスと違って自然現象ではなく人為だからである。しかし、この超国境事象もまた、いくつもの問題を生み出してきた。そしてそれは、一方では人の交流や物流の活発化、あるいは一部途上国の経済発展助長など積極面もあるものの、他方で個別国家では規制しきれない巨大経済活動と、それに比例した巨大環境破壊をも伴っていた。逆説的に、そうした経済のグローバル化は、そこで生み出された富もグローバルに均霑するわけではなく、いずれは勝ち組国家を潤し、負け組国家を貧窮化する。勝ち組国家の中にはかつて貧しい途上国だった国も含まれるだろう。また、貧窮国家の中から少数の起業家が飛び出してくるのを後押しすることもあろう。しかし世界全体を見ると、総人口の七割以上は一日一・九国際ドル（二〇一一年平価）以下の「絶対貧困」状態にあるのだ。経済の「グローバル化」は、控えめに言っても、経済的安寧の世界化ではない。

ここで問うておきたいのは、こういう経済的グローバル化の背後にあるネオ・リベラリズム（あるいは世界大の自由放任主義）の意味である。それもまた、新たな境界と隔離を設定するものだった。つまり、経済的弱者を経済的強者から隔離する構造である。リアリズムの立場からは、「それが現実である」という言説を以て肯定されるのだろう。しかしそれが「現実」であると言って済ますことができるのは、経済的強者だけでしかない。その点で、このような「現実」が「不変の現実」であるという認識や言説は、根本においてイデオロギーである。

そこで、グローバル化に対しても、国際法に対するのと同じ問いを提起できよう。すなわち、この境界なきグローバル化は、境界なきウイルスの攻撃に対していかなる対抗力を持っていたのか？ ネオ・リベラリズムはウイルスに対して有効に働きえたか？ いまのところ、肯定的な答は見つからない。むろん、徐々に医療物資や食糧が国境を超えて流通し始め、ある種のグローバル化が効果を発揮することはあるだろう。だがそれは一時の協力に過ぎないし、そもそもネオ・リベラリズムおよび経済グローバル化の教義に従って行われることではないのだ。

だが、問題はそれにとどまらない。経済のグローバル化が役に立たない局面があり、ネオ・リベラリズムがこのウイルス危機において沈黙するしかないとしても、権力肯定的という意味でのリアリズムは、寄生物質によって引き起こされたこの危機の中で、まさしくその危機に寄生するかのように、国家権力の肯定という形をとって立ち現れる。国家主義がネオ・リベラリズムの片割れであることは言うまでもない。

世界じゅうの国がそうであったようには思われないが、少なくとも日本では、危機への対処として強力な国家統制を求める声が随所で聞かれた。そもそもは政府の説明が不十分で、科学的根拠のない場合が多く、かつ対処がいつも唐突で遅過ぎ少な過ぎたことが契機ではある。注意すべきは、それが政府批判であると同時に、国家待望論でもあることである。緊急事態宣言が発令されぬことに苛立ったテレビ評論家が、「国家が命令しなければ国民は動かないのだ」とうそぶくのを聞き、暗澹たる気持ちになった。たしかにこれは危機だし、われわれが自分自身の課題として立ち向かわなければならない。だがわれわれは、国家に命令されなければそうすることができないのか。

具体的に何をするかではなく、まず政府に大号令を出してもらうことを求めるかのような風潮も気になった。ウイルスの性質を考えると、ときには外出自粛や活動制限など、一定の強い措置を政府が取るべき場合はある。だがそれとても、「まず大号令を」から始めねばならないというものではない。科学的に、つまり疫学的・医学的・公衆衛生学的に何が必要か、それに基づいて意思決定されることが何より必要なのだ。そしてそれは、次の論点にも深く関わる。

## ウイルスとデモクラシー

この危機を戦争になぞらえる、《戦争の隠喩《メタファー》》は少なくない。例えばフランスのマクロン大統領の危機初期の言明がよく知られる(ドイツのメルケル首相もそう言ったと日本では伝えられるが、筆者の記憶する限り、彼女が使ったのは「この事態は第二次大戦以降最大の危機だ」という表現のはずである)。それを聞いた時、ああまたかと思い、さらに、疫学的にはそう言えるかもしれないが政治的にはそうではない、と考えた。

ああまたかというのは、二〇〇一年の「同時多発テロ」の際に、ブッシュ米国大統領が真っ先にその言葉を発したからである。それは現実にも戦争になった。いささか暴走気味の、「対テロ戦争」の世界的展開である。それ以上に問題なのは、「戦争」であるから何をしても許されるかのような行動が次々と続いたことだった。捕虜の虐待などである。国際法上は何をしても許されるわけではないが、そういう国際法は、国によっては全く効果を発揮しない。守る国に関してだけ法としての効果を持つという、合理的に考えれば奇妙な「法」なのだ。

国際政治における「戦争」と「ウイルスとの戦争」には、共通の特性がある。敵に対して何をしても構わないという姿勢同様、敵であるウイルスに対しても全力をふるうことに加え、市民たちに対して国家が何をしても構わないかのような態勢になることである。それは基本的人権および自由の制限をともなう。たしかに、人命を奪う目に見えない脅威と闘うのだから、われわれ市民も欲望のおもむくままに行動することはできない。感染を防ぐために外出は必要な限り抑制しなければならず、医療崩壊を防ぐために資源もそれを優先して回さねばならない。身体を隔離されることもある。

だが、その措置がどれも例外的なものであり、疫病の被害を最小限に抑えるという目的の範囲内においてのみ許される、という議論が「ともかく非常事態宣言を」という要求の中にどれだけあっただろうか。それだけではない。台湾や韓国やイスラエルのように比較的少ない被害だけで抑え込んだ国々を見習うべきだ、という意見も多数聞こえた。たしかにこれらの国の対処には評価されるべき点も多い。同時に、多かれ少なかれ、個人に対する監視システムが強力に実施された国々でもある。それを「戦争」の後も無批判に持ち越さないという構えが不可欠だが、それが強力国家待望論には十分にあるか。

言うまでもなくそれは、デモクラシーの問題である。この危機への対処に大きな責任を持つ人々、とりわけ首相や都知事の発言の中で、「民主主義」あるいは「デモクラシー」という言葉が使われたことがあったかどうか。どこかであったのかもしれないが、入手できる記録を見た限りでは、この言葉を見つけることができない。少なくともこの人たちにとって、この危機への対処がデモクラシーに深く関わる、という問題意識は中核的なものではなかったのだろう。

対照的なのは、ドイツのメルケル首相だった。この国の、責任感ある他の政治家同様、この人もよくデモクラシーという言葉を使うが、とりわけ、多くの国民に政府の措置を納得させた、三月一八日のテレビ演説が印象深い。懸命の働きをする医療従事者に感謝し、スーパーのレジに立ち続ける人々、商品棚を補給する人々に感謝して多くの国民の共感を呼んだこの演説は、いま取られている措置はドイツが民主国家だからこそ取られていることと、民主的に行われねばならないことを強調するものでもあった。いわく、「私たちは民主国家です。私たちが豊かに過ごせるのは何かをしろと強制されているからではなく、私たちが知識を共有し、この営みに積極的に参加するよう促されているからです」。それゆえ、いま取られている行動制限措置は、「民主主義において、絶対に軽々しく行われてはならぬものであり、厳に一時的なものでなければなりません」。

政治のリーダーは、とりわけ危機との闘いのさなかでは、まず国民に信頼されていなければならない。判断に科学的な根拠があり、情報を捏造したり隠蔽したりせず、感情に任せた見苦しい言動を完璧に封じ込め、そして何より、民主主義を守るためにこそ厳しい措置もあるという方針を堅持できる人物でなければならない。その点で日本は、ウイルスによる危機の前からすでに危機だった。

## 勝者なき収束のあとに

コロナ危機は、戦争ではないとしても、多くの人的・物的・社会的犠牲を要求する、激しい闘いであり続けている。だが、科学的に打つべき手を打ち、市民も必要な自制と協力を貫けば、いつかは一定の収束に達するだろう。むろん「撲滅」などではない。天然痘ウイルスのように撲滅するのは容易ではないのだ。仮に新型コロナウイルスを撲滅できたとしても、これまでと同じく、また別のウイルスが人類を襲うだろう。だから、それと共生しつつ、人命の損失を最小限にとどめる社会体制を作り、かつ、ウイルスの凶暴化をできるだけ避ける変革を自覚的に行わなければならない。

医療体制の整備はむろんである。その日に使うわけではない人員や器材を後回しにするという政策方針が、こういう危機の際に脆弱性をあらわにすることを、少なくとも日本はよくよく経験した。教育制度も、種々の社会的弱者の保護も、流通システムも、それぞれに問題が多いことが明らかになった。

日本だけではない。多くの国が個別に対処する中で、それぞれの脆弱性を痛感するだけでなく、国境を超える地球全体の問題がこの事態に深く関わっていることを知り始めたに違いない。環境破壊、過剰な人口、膨大な食料の生産、野放図な自由主義経済、そこからの脱落者の切り捨て、地球全体の資源配分の誤り（軍事費の増大など）等々、多くの問題が連鎖して今回の事態に至っている。

幸か不幸か、多くの人が同時に同じような苦しみを経験することにより、多くの人が明日は今日の続きではないと実感することにもなった。それはすなわち、際限なき自己拡大と、そのための抑制なき自由競争を、ともに見直す好機でもあるだろう。経済であれ領土であれ軍事的支配であれ、無限に拡大することなどできない。であるなら、ここしばらく続いた政治や社会の原理を、根本から見直すほかないだろう。首尾よく危機的な状況から脱し始めた国の中には、「わが国は勝利した」といった認識を持つ国もあるようだが、こういう認識は来るべき世界にとって、何の役にも立たない。ウイルスに永遠に勝利できるわけではないし、他の国々との競争が今回の危機の要諦だったのではないからだ。

来るべき世界はむしろ、何の分野であれ無用の敵対的競争を抑制し、自然とも和解し、人間が境界を超えて共生する世界であるだろう。この状況からの脱出を「生き残り」と呼ぶのは誇張かもしれないが、この後の世界が多くの点でこれまでとは違ったものになることは確かである。それは他者と共に生き残ることを本気で構想する、《利他的生き残り》(Altruistic Survival)の哲学に立ったものでなければならない。それはただの理想論だ、と言うだろうか。ならば、この状況に直面してネオ・リベラリズムやリアリズムは何かの役に立ったか、それを問い直すべきだろう。昨日の世界の回復ではなく、新しい世界に向けた再出発が、いま必要になっているのだ。

その足がかりはある。ひんぱんに国外の友人たちとテレビ会議を開くが、ことコロナに関しては、各国の友人たちがすべて同じ闘いのさなかにあることを肌で感じるのだ。常日頃、共通の関心事を討議してはいたが、同じ境遇に置かれていると実感したことは一度もなかった。このつながりは、たんにインターネットによる機械的なつながりを超えた、深い精神的連帯である。これを来るべき世界のための資本にしよう。

この危機を境に、禍々《まがまが》しいものの象徴としての「近代」が終わる。いや、終えなければならないし、いまが最大の好機なのだ。

もがみ としき 一九五〇年生まれ。早稲田大学教授、国際基督教大学名誉教授。専攻は国際法、国際機構論。『人道的介入』『国際立憲主義の時代』『国際機構論講義』ほか。

出口治明

# 人類史から考える

## コロナ後の日本の働き方

僕が学長をつとめる立命館アジア太平洋大学（APU）は、二月二〇日に卒業式と入学式の中止を決めましたが、具体的なコロナ対応は、安倍総理が小・中・高等学校に一斉休校を呼びかけた二月二七日から始まりました。

APUの場合、三〇代、四〇代の職員が大体七割近くを占めています。そうすると、例えば小さいお子さんや小学生を抱えている職員は、すぐには出勤できなくなるわけです。三月は、卒業判定や入学判定で、大学が一番忙しい時期です。すぐにテレワークの準備もできませんから、第一にやったことは子連れ出勤です。子連れ出勤と同時にテレワークを広げ、オフィスではソーシャルディスタンシングということで、会議室をオフィスにして執務場所を分散し、授業は上期は一〇〇%オンラインでやると決めていま動いています。

一カ月経って気がついたことは、例えば子連れ出勤は問題なくできるということでした。テレワークもかなり広がり、オンライン授業も先生方が全力で取り組んでいます。学生の受け止め方も上々で、大きなトラブルもなく、オンライン授業がスムーズに行われています。APUの経験からいえば、ニューノーマル(コロナ後の世界)では、子連れ出勤が常態になり、テレワークも自由にできるようになり、オンライン会議・授業もできて、市民のITリテラシーは格段に向上するだろう、つまり、本当の働き方改革ができるのではないか、ということです。

日本の労働生産性は、一九七〇年に統計を取り始めてから、半世紀間ずっとG7最低を記録してきました。このことが長年にわたり、日本の課題であり続けてきました。これは何に起因するかというと、要するにつき合い残業とかダラダラ残業が多いということです。だから、今回のコロナ禍をきっかけに働き方が抜本的に改革されるのではないか。こういうご時勢ですから、いまは夜の街での飲み会も減りました。いままで接待は、夜の街で一杯飲まなければ始まらないといわれてきましたが、それが本当に効果があったのかどうかということも検証されます。ステイ・ホームは必然的に家族と過ごす時間を増やします。その結果、DVやコロナ離婚が増えているという問題も起こっていますが、大多数の人は家族や子どもと過ごす時間がやはり貴重だということがわかったはずです。また、一人暮らしでも、本を読んだり、オンラインの講座を受講してみたりオンライン飲み会をやったりと、家での時間を今まで以上に有効に使った人も多いことでしょう。生き方や働き方の改革に大きくつながり、ＩＴリテラシーが高まった、ということが今回のコロナ問題がもたらした明るい面の一つといえるのではないでしょうか。

## 全世界が直面している課題

コロナウイルスの問題は、リチャード・ドーキンスが述べているように、自然現象です。ウイルスは何十億年も前から生きてきた存在です。ホモサピエンスの二〇数万年とは比較になりません。ですから、パンデミックが人類の歴史のなかでアトランダムに起こることは避けられません。全世界が直面している課題は共通して以下の三つだと思います。

一つは、ウイルスは人を乗り物にしているわけですから、感染を避けるために、ステイ・ホームを要請する、というのは真っ当な政策だということです。人との接触がなければウイルスは移動できなくなります。ワクチンや治療薬が見つかるまでは、ステイ・ホーム以外の方策はありません。

二番目として、そのステイ・ホームが可能になるのはエッセンシャル・ワーカーといわれる人たちが働いてくれているからです。医療従事者を筆頭に、スーパーで働く皆さんや流通にかかわる皆さん、食料品を生産している皆さん、あるいは交通・運輸を担当している皆さんなど、そういう人たちはステイ・ホームができないわけです。だから、そういう人たちにどのようにモチベーション高く働いてもらうか。感謝と支援をどのように行うかが要請されます。

例えばフランスでは、三月一七日にマクロン大統領が外出禁止令を出してすぐに、SNSで夜の八時に医療関係者が帰って来た時に、みんなでベランダに出て拍手をしようという運動が沸き上がり、あっという間にイタリアやスペイン、アメリカやタイにと、世界中に広がりました。日本でも福岡市役所で始まりましたが、ステイ・ホームを可能にするために働いている人たちがいるのだということを知らないと、一部報道にあったように、スーパーに食料品を運んで来たトラックの運転手が、「東京ナンバーで来るとはけしからん。来るな」と怒鳴られたとか、あるいは医療従事者の子どもが検温しているのに保育園で別の部屋で閉じ込められたとか、無知に基づく偏見をベースにした愚行が生じます。これはとても恥ずかしいことです。自分さえよければいいというのではなく、エッセンシャル・ワーカーが働いてくれるからこそステイ・ホームができるのだということを、みんなが知らなければいけないと思います。

三番目の問題は、ステイ・ホームは、ほとんどの人にとっては収入減になってしまうということです。そういう中で誰が一番ダメージを受けるかといえば、パートやアルバイトなどの社会的弱者であることは明らかです。その弱者に対して所得の再分配政策をどのように短期間で設計、実施できるかということを、いま各国が競っているのです。

## 三つの課題から何が示唆されるか

この三つの課題は全人類共通の課題です。各国の政府の首脳がいろいろと市民に語りかけ、いろいろな政策をやっている。それがSNSで全世界に報道されるわけです。世界中の指導者が同時に比較され、有事の際にはリーダーの存在がいかに重要かということがみんなにもわかった。だから、市民の政治に対する意識や関心が高まるかもしれません。やはり、選挙に行かなければ、ということで、韓国では総選挙の投票率が一〇%弱上がりました。アメリカでは、大変な状況にあるニューヨーク州のクオモ知事の言動がすごく立派だと思います。毎日毎日市民に向かって正直ベースで語りかけています。クオモさんとトランプさんを同時に見ていたら、クオモさんのほうがリーダーにふさわしいと感じる人が多くなるかもしれません。

ニューノーマルで世界がどう変化するかについては、時間軸を違えて考えるべきだと思います。グローバリゼーションは短期的に見れば間違いなく減速します。グローバリゼーションというのは、ヒト、モノ、カネ、情報の自由な行き来を意味しますが、情報の行き来は止まらなくても、一番肝心なヒトの行き来は止まります。モノやカネも、ある程度は止まるかもしれない。

でも中長期的に考えた場合、グローバリゼーションが後退するとは考えられません。コロナ問題が起こってから何が起こっているかといえば、例えば経済成長率でいえば、IMFからアメリカや日本はマイナス五パーセント以上落ちるだろうといわれているわけです。マイナス一〇パーセント以上になるという人もたくさんいます。これは戦後最大の落ち込み幅です。これだけ落ち込んだら、例えば株価は、一万円近くにまで下落しても不思議はないでしょう。でも、現在の株価は二万円台で下げ止まっています。ニューヨーク市場も同じです。それはなぜかといえば、アメリカがゼロ金利に戻した翌日以降、世界の中央銀行が連携してコロナショックに対応することにしたからです。G20会議とかG7会議も頻繁に行われていて、例えば途上国に対して債務の弁済期限を延ばすなど、いろいろな国際協調の動きが起こっています。

『サピエンス全史』を書いたユヴァル・ノア・ハラリが、三月一五日付の『TIME』誌に寄稿した文章(原題：In the Battle Against Coronavirus, Humanity Lacks Leadership)の中で、ハイレベルのグローバルな信頼と連帯がコロナに勝つ唯一の道だ、と書いています。コロナは全世界共通の敵ですから、共通の敵に対してバラバラに闘って勝てるはずがありません。たとえば、これ幸いと、中国依存から脱却して国内に工場をもっと移せ、などと主張している人もいますが、四月一六日付の日経新聞の「経済教室」で戸堂康之・早稲田大学教授が、企業の生産、調達の分散は継続しなければいけない、国内回帰といっても東日本大震災の時のことを忘れてはいけない、やはりリスクの分散が一番大事なのだという、きわめて真っ当な議論をされています。

だから、瞬間的にはナショナリズムが燃え盛って国内回帰の動きはあるかもしれませんが、冷静に考えれば、やはり世界が連帯してコラボレーションしているからこそ金融市場の崩壊もこの程度で食い止められているわけです。これはハラリがいうように、全人類が同じ課題に直面しているわけですから、お互いを信頼して連帯する。お互いの思いやり以外にコロナに勝てる方法はないのです。だから、短期的にはグローバリゼーションの動きがとまるとしても、中長期的に見たら、むしろこの機会にお互いがグローバルに依存していることが改めてよくわかるようになったので、僕はグローバリゼーションの動きは止まることはないと思っています。

## パンデミックが生み出したもの

過去のパンデミックと比較してみたいと思います。詳細な記録が残るようになってから現在まで、大きなパンデミックは三回起きています。一つは一四世紀のペストです。ペストの時に人々が何をしたかといえば、いまと同じようにステイ・ホームをしたわけです。そのことが一番よくわかるのが、ボッカッチョの『デカメロン』です。あれは日本でいえば、軽井沢の別荘に閉じこもって家から出ないでいるようなものです。

閉じこもった時に人々はどうしたかといえば、退屈しのぎに面白い話をして元気をつけたわけです。「深刻に考えていても、こんな状況は打開できない」と考えて。だから友人には、いまこそボッカッチョの『デカメロン』を読め、時間もあるだろうから、と薦めているのです。

ペストは結局何を生んだかといえば、ルネサンスを生んだわけです。「メメント・モリ（memento mori、死を忘れるな）」、死のことばかり思っていても、いくら敬虔になっても神様は助けてくれない。それだったら「カルペ・ディエム（Carpe diem、その日の花を摘め）」ということで、人間を大事にしよう、と。それがルネサンスを生んだのです。イタリアで生まれたルネサンスは、やがてヨーロッパ中に広がりました。グローバリゼーションが加速されたわけです。

その次の大きいパンデミックは、一五世紀にコロン（コロンブス）が新大陸に到達し、ヨーロッパとアメリカの間で交易が盛んになった、いわゆるコロン交換をきっかけにして起きたパンデミックです。新大陸にヨーロッパ人を通して感染症がもちこまれました。旧大陸の病原菌に対して全く免疫を持たない新大陸の人々の九割以上がこれで死に絶えたわけです。でも、これも最終的には、コロン交換によって、世界的に見ればものすごく大きな犠牲の上にグローバリゼーションが進展して、ジャガイモとかトウモロコシとかサツマイモとか、いろいろな食料が均霑して世界は豊かになったわけです。この二つ目のパンデミックと「コロン交換で世界がいかに豊かになったか」については、紀伊國屋書店から出ているチャールズ・マンの『１４９３――世界を変えた大陸間の「交換」』（布施由紀子訳）を読め、と友人に薦めています。

三番目のパンデミックは、一九一八年のスペイン風邪です。スペイン風邪は何を生んだかといえば、第一次世界大戦を終わらせたわけです。およそ五〇〇〇万人がスペイン風邪で死んだといわれていますから、第一次世界大戦の戦死者よりもはるかに多い。これはスペイン風邪と呼んでいますが、そもそもはアメリカがヨーロッパに持ち込んだものです。このスペイン風邪で人がバタバタ死んでいくのを見て、戦争なんかしている場合じゃないということになって、何を生んだかといえば、国際連盟を生み、各国は仲良くやっていこうということになったわけです。ただ、これは歴史が示しているように、フランスのクレマンソーが、ドイツ憎しで日本のいまの現状に直したら赤ちゃんまで含めて国民一人あたり一〇〇〇万円相当の巨額の賠償をドイツに課したために、結果としてヒトラーの台頭を許して第二次世界大戦に至りました。ですが、少なくともスペイン風邪はまず第一次世界大戦を終わらせ、次に国際協調路線を生み出したわけです。

だから、過去三度のパンデミックは全てグローバリゼーションを加速し、国際協調を生み出しているのです。当たり前のことですが、人類は結局、パンデミックを乗り越えて次のステージを切り開いてきたのです。

## ステイ・ホーム中に読むべき本

第一次世界大戦は、セルビアのサラエボでオーストリアの皇位継承者が殺された事件がきっかけですから、オーストリアとセルビアが戦争をするのはわかるとしても、なぜそこからドイツとフランスがあそこまで殺し合う戦争をしなければいけなかったのか、実に不思議な戦争です。これについては、みすず書房から『夢遊病者たち1・2』(クリストファー・クラーク、小原淳訳)という名著が出ています。政治リーダーの判断がいかに大切かを知るうえでとてもいい本です。スペイン風邪そのものについては、アルフレッド・W・クロスビーの『史上最悪のインフルエンザ』(みすず書房、西村秀一訳)や、速水融の『日本を襲ったスペイン・インフルエンザ』(藤原書店)が好適です。三大パンデミックについては、それぞれ以上の本を読めばよくわかる、それぞれかなり分厚い本ですが、時間がたっぷりあるから、読む時間はあるでしょう、といって人に薦めています。

短い本がほしいという人には、新潮文庫の『知ろうとすること。』という、糸井重里さんと東大の早野龍五先生による薄い本を薦めています。東日本大震災の時も流言蜚語が飛び交いました。そういう時に、いかにエビデンスベースの情報が大切か、流言蜚語にだまされたらいけないぞ、ということを書いた本なので、厚い本を読むのがいやな人はこの本を読むといい、と友人には話しています。また、コロナそのものを理解するには岩波ブックレットの岡田晴恵『どうする⁉ 新型コロナ』が読みやすくわかりやすいと思います。

パンデミックは自然現象なので、いつ終わるかはわかりませんが、いずれは必ず終わるので、いまできることは被害を最小限に留めることです。ニューヨーク州のクオモ知事が、「まず生きていることだ、生きていれば人間は状況対応力があるので何でもできる、だからステイ・ホームなんだ、いろいろ問題はあっても」と語っています。その通りだと思います。だから、やはりステイ・ホームとステイ・ホームを可能にするためのエッセンシャル・ワーカーの人たちへの感謝と支援、それからステイ・ホームで一番ダメージを受ける弱者に対して、どのような再分配政策が社会としてとれるかということが全世界に問われていると思います。私たち、立命館学園では、二つの大学（APUと立命館）、四つの付属校とひとつの小学校で、困っている学生・生徒・児童に対して、総額で二五億円の緊急支援策をまとめたところです。

でぐち はるあき　一九四八年三重県生まれ。立命館アジア太平洋大学（APU）学長。ライフネット生命保険株式会社創業者。『生命保険入門 新版』『生命保険とのつき合い方』『人類5000年史（I～III）』『哲学と宗教全史』『0から学ぶ「日本史」講義（古代篇、中世篇）』など。

# 末木文美士

## 終末論と希望

### 衰退期に入った人類

新型コロナウイルス感染症（COVID－19）の猛威は、一時的に収まっても、最終的な終息に至るまでは長期化が予想されている。「パンデミック後」という以前に、「パンデミックの只中で」どうすればよいかが、まず問われなければならない。と言っても、医療現場や研究開発の先端にいるわけではないので、すぐに実用になる知恵を提供できるわけではない。一歩退いた位置で、どのように未来へ向けて思想、哲学を構築できるかが課題だ。それは一見「不要不急」のように見えながら、「パンデミック後」に新たに立ち上がることができるかどうかを決める決定的に重要な意味を持つ。「パンデミック後」は、「パンデミックの只中」の延長上に、もはやそれ以前の常識が通用しない、まったく新しい状況に立ち向かわなければならない。

近代的世界観は一九八〇年代にほぼ崩壊した。それにとどめを刺したのが、一九九〇年代初めの冷戦の終結とマルクス主義の壊滅であった。しかし、それに代わる新しい世界観が形成されないままに、惰性的に近代的世界観の残滓で突き進んできた。近代的世界観は、科学的合理性に基づき、可視化できるもののみの実在を認め、歴史の直線的進歩を信奉する。経済成長優先の楽観論がまかり通ってきた。そのような世界観が不可能となった時、どのような新しい世界観を築けばよいのか。

ここで注意されるのは、単に世界観の問題だけでなく、そもそも人類が全盛期を過ぎて衰退期へ入ったのではないか、という可能性である。コロナウイルスだけでなく、この一〇年ほどの間に襲った大災害や、温暖化をはじめとする環境の悪化は著しい。そもそもウイルスの蔓延は環境破壊に由来すると言われる。また経済的格差の拡大も、是正は次第に困難になりつつある。富裕国／富裕層が豊かになれば、貧困国／貧困層もまた豊かになるというご都合主義的な理屈は成り立たず、格差はますます大きくなり、人類全体としての適応能力を弱体化している。そうとすれば、個人の老齢化と同様に、人類もまた老齢化して衰退する可能性を視野に入れて、新しい世界観を考えなければいけないのではないか。

以上は、『仏教タイムス』本年四月一六日号に発表した「新型コロナウイルスと今日の課題」という短文に記したことの要約である（同紙のサイト http://www.bukkyo-times.co.jp/ にも掲載）。本稿は、それに続くものとして、終末論の問題を過去の思想から検討し直し、その上で終末論を視野に入れた新しい世界観の可能性を考える。

## 終末論の可能性――『愚管抄』を手掛かりに

今日、終末論は決して極端で奇怪な説ではなく、切実な思想的課題となっている。西洋のキリスト教であれば黙示録の問題になるが、ここでは、西洋思想ではなく、日本中世の歴史思想にモデルを見ることにしたい。それは、慈円《じえん》の『愚管抄《ぐかんしょう》』である。

慈円(一一五五―一二二五)は、藤原忠通の子、九条兼実の弟であり、四度天台座主を務めた。源平の争乱から鎌倉に武家政権が生まれる大きな転換期に、宗教界のトップとして、また、兼実に協力して摂関家を守り、国政の安定を図るために力を尽くした。『愚管抄』は承久の乱(一二二一)で後鳥羽上皇が幕府に対して挙兵する直前に執筆し、乱後に加筆したと考えられる。

『愚管抄』の歴史観は、基本的に終末が意識された下降史観である。その終末論には重層性がある。まず、当時の常識として末法史観を受け入れている。これは仏陀の出現からの時間的距離によって、正法《しょうぼう》・像法《ぞうぼう》・末法《まっぽう》と次第に下降していくという見方であるが、『大集経《だいじっきょう》』の五《ご》五百年説《ごひゃくねん》が結びついて、一二世紀に続いた戦乱を最後の闘諍堅固の時代と見ることになる。

そこに『倶舎論《くしゃろん》』などに見られる劫《こう》説が重なる。劫説のいちばんの大枠は四劫説であり、この世界は成劫《じょう》(成立の段階)・住劫(継続の段階)・壊劫《え》(崩壊の段階)・空劫(空無に帰した段階)の四劫を繰り返すという。それぞれは二十劫（劫は長い時間の単位）からなる。現在は住劫であるが、住劫は同じ状態が続くわけではなく、減劫と増劫を二〇回繰り返す。減劫は人間の寿命が八万歳から百年に一歳ずつ減って十歳までになり、そこから増劫になり寿命が八万歳まで延びる。減劫の終わりには、小の三災（刀兵・疾疫・飢饉）が起り、壊劫には大の三災（火災・風災・水災）が起るという。当時は、まさしく小の三災をうかがわせる事態が続いていた。

こうして世界は緩やかに盛衰を繰り返しながら、最後は崩壊するのである。ただし、それで終わるわけではなく、ふたたび成劫に入って生成が始まるというサイクルをなしている。全体としては、ニーチェの永劫回帰説にも似た円環的な時間構造をなし、キリスト教の黙示録的な終末論とも、近代的な直線的発展的時間とも大きく異なっている。しかし、それは直線的時間を排除するものではない。住劫のうち、増劫と減劫の一サイクルの間だけを取れば、その間は時間が直線的に流れていると見ることが可能である。あたかも量子論や相対性理論が出たからと言って、日常の範囲ではニュートンの古典力学で計算できるのと似ている。

慈円は、仏教者としてこの劫説を受容している。すなわち、「劫初から劫末へとあゆみくだり、劫末から劫初へとあゆみのぼる」（『愚管抄』巻七）というのである。劫初は寿命が八万歳の時であり、劫末は寿命十歳の時である。慈円が今の時代をサイクルの中のどこと見ているかは、必ずしもはっきりしないが、当時の一般の理解では、末法説と結びついて住劫も終わりに近づいた滅劫と見られていた。慈円もその衰退史観を共有していたと思われる。

もう一つ、慈円が論及している重要な終末論として百王説がある。慈円はこれをもっとも切実な問題として受け止めている。百王説は、王(天皇)が百代で尽きるとする説で、宝誌《ほうし》作と伝える『野馬台詩《やばたいし》』に見える。『野馬台詩』は、誰にも読めなかった難解な詩で、入唐した吉備真備《きびのまきび》が玄宗皇帝から示され、長谷観音の遣わした蜘蛛の導きで読むことができたという(小峯和明『中世日本の予言書——〈未来記〉を読む』岩波新書、二〇〇七)。平安期にはすでに知られていたが、慈円の頃にはかなり広く普及していた。由緒のはっきりしない説を、慈円が当然の前提としているのは、それだけ王権の危機が切実な状況だったからである。

慈円は、百王のうち、すでに八四代過ぎており、残りは一六代しかないという。ただし、慈円はそれを単純に悲観的に見ているわけではない。慈円はそれを百帖の紙の譬《たと》えで説く。百帖の紙を使って残りが一、二帖になった時、紙を足すことで元に戻すことができる。このように、最後が近くなった時に、適切な対応を取ることで、ある程度の復元をなして、延命を図ることができるという(巻三)。一六代しか残っていないのではなく、まだ一六代も残っているのだ。だからこそ、正しく世を治め、邪正・善悪の道理を弁《わきま》えて、仏神の衆生救済の道具とならなければならない(巻六)。それによって、紙を足すように、持続が可能となる。終末が近いことを歎き、自暴自棄になるのではなく、具体的な努力で終末を遅らせることは可能である。

慈円の歴史観でもう一つ重要なことは、現象として現われた「顕」の領域だけでなく、人間には見えず、うかがい知れない「冥」の領域の存在が、歴史に関わっていると見ることである。「冥」の領域には、神仏が属する。慈円の衰退史観によれば、もともと冥顕一致していたのが、次第に両者が離反していったという(巻七)。それゆえ、神仏の意に適い、その衆生救済を助けることで、体制の持続が可能となるのである。その冥の領域にはまた怨霊もいて、顕で果たせなかった恨みを果たそうと狙うこともある(同)。平家の怨霊が切実な問題だった時代を反映している。歴史は人間だけで作るものではない。不可視の者たちの関与を無視することは許されない。歴史を人間に理解可能な合理性だけで計測するのは、とんでもない傲慢であり、終末を招くものではないのか。慈円の歴史論の中核である「道理」の観念は、決して人間本位の合理性を意味するものではなく、冥の存在の関与による不可知性をも含むものであった。

## 終末論から生まれる希望

慈円の歴史論は、天皇と摂関家と武士が複雑に絡み合った特殊な時代状況の中で生まれたものではあるが、危機的状況の中で歴史をどのように見るべきかという点に関して、今日でも示唆するところは少なくない。そのポイントは、第一に、仏教的な末法説や宇宙的時間論である四劫説を受容しながら、それに百王説を重ねて、重層的な終末論を形成するとともに、それに絶望するのではなく、持続可能な道を求めようとしたことである。第二に、その際に、目に見えない「冥」なる領域の存在の関与を大きく取り上げ、人間中心主義への警鐘を鳴らしていることである。このような歴史観は、決して中世という遠い過去に閉じ込めて封印してよいものではなく、今日の私たちに大きく訴えかけるものを持っている。慈円の歴史観を念頭に、今日の問題を改めて考えてみよう。

まず、終末論的状況に関してである。終末論を持ち出すのは、一見キワモノ的でSF的発想のように思われるかもしれないが、そうは言えない切実さを持っている。今回のコロナウイルスを人類はひとまず乗り切ることができるであろう。しかし、今回で終わりではない。今後、おそらくもっと強力なウイルスが襲い掛かってくることは十分に想定される。個人の場合に高齢者に生命の危険が多いように、人類が全体として体力が弱まり、免疫力をなくしていけば、将来もはたして確実に乗り切ることができるかどうかは不確かである。

今日の地球環境の悪化は、このまま続けば人類の存続に関わることは、すでにさまざまな形で警告が発せられている。少子高齢化現象は、人類全体の活力を弱めている。遺伝子操作の危険もまた、広く知られている。出生前診断による障害児の排除や男女産み分けが進めば、人類の多様性が失われて、環境変化に対して弱くなる。自然災害がますます激烈になっていけば、人類全体とは言わないまでも、ある地域に致命的な一撃を加える可能性はきわめて大きい。それらが複合すれば、どれだけ巨大な被害が生まれるか、想定も難しい。世界各地の戦争や紛争は収まる気配がなく、それを調整する国連の機能もますます制約されている。国家間あるいは社会階層間の経済格差は広がっている。世界終末時計の針は限りなく終末へと向かって進みつつある。人類全体が上昇へと向かう増劫的な局面から、下降へと向かう減劫的局面に入ったということは、十分にあり得ることである。

しかし、そのような状況は、だからと言ってただちに希望を失わせるものではない。危機が強くなることは、無秩序化して、ニヒリズムに陥ることではない。慈円が賢明にも洞察したように、歴史は上下の波を持ちながら次第に下降していくのであって、一気に壊滅するわけではない。百帖の紙が減った時に、それを補う知恵があり、きちんと対応できれば、持ちこたえていくことは十分に可能である。それには、終末の危機感を人類全体が共有し、協力して対処していくことができなければならない。

今回の新型コロナウイルス蔓延では、一面では国家や一部の人たちのエゴの突出が顕著に見られるが、他面ではグローバル化した状況の中で、国境を超えてその危機感を共有することで、相互に情報を公開し、共同して対処できる道も開かれつつある。その危機感を今回だけの特殊事例として終わらせるのでなく、それはあくまでも総体的な危機の一部に過ぎないものとして、一層共同して対処できなければ、終末は事実となってしまうだろう。

そこでもう一つの問題である見えざる冥の領域の関与を考える必要がある。二〇一一年三月の福島第一原発の事故後、人々は見えざる放射能の拡散に怯えた。立ち入り禁止地域に近づいても、何が変わるわけではない。ただ、線量計の針が大きく振れるだけである。また、ウイルスは電子顕微鏡のもとでなければ、その姿を見ることができず、どこにウイルスが飛散し、自分自身も含めて、誰が感染しているか、肉眼で確認することはできない。それが一層人々を怯えさせる。放射能と危険なウイルスとは、見えざるものとしての共通性を持つ。

しかし、それらは見えざるものであるが、機器を使うことで、その存在を感知できる。それゆえ、見えるものと見えざるものの中間に位置する。それに対して、死者や神仏は、機器を使ってもその存在を確認できない。にもかかわらず、その存在を放置することはできない。死者の問題は、近代的世界観においてまったく無視されていたが、東日本大震災以後、急速に避けて通れない問題として浮上した。今回は、感染者の急速な悪化死亡や、死亡した際の葬儀の困難が問題となっている。死者をどのように世界観の中に位置づけるかは、すでに他で論じたので(『冥顕の哲学1 死者と菩薩の倫理学』ぷねうま舎、二〇一八)、これ以上立ち入らない。

一つだけ補足しておきたいのは、過去の死者とともに、未来のいまだ生れざる者との関わりである。近代的世界観は現世だけを問題とするので、過去の死者が切り捨てられると同様に、未来のいまだ生れざる者との関係も議論できない。そうなると、終末論と言っても、私が生きている間に終末に至るのは、かなり可能性が低いから、議論する意味はないことになる。死後に人類に終末が訪れようとも、それはどうでもよいことになってしまう。だが、それで済ませられるであろうか。

死者との関わりが生者にとって不可欠なのと同様に、今度は自らの死後に生まれる者たちとの関係が問われなければならない。自らは死しても、その後の世界の人たちの存続や苦難に目をつぶり、放置することは許されない。放射能であれ、ウイルスであれ、地球環境であれ、今日のツケをどんどん先回しして済ませてよいはずがない。だが、実際にはどうだろうか。未来への負債は確実に増える一方ではないのか。

こうして今や、死後の責任、あるいは死者としての責任が新たに問われることになる。今、綻びを繕って一時しのぎをして済む問題ではない。自らの死後の世界でも確実に持続できる長期的な展望が不可欠となる。人類が成長期を過ぎたとしても、むしろだからこそ、ひたむきに進んできた成長期には味わえなかった豊かで満ち足りた日々が可能になるのではないのか。それをいまだ生れざる未来の者たちに遺していくことが、今の生者の責任ではないだろうか。

すえき ふみひこ 一九四九年生まれ。東京大学名誉教授。日本思想史・仏教学専攻。『日本仏教史』『日本宗教史』『日本思想史』ほか。

石井美保

# センザンコウの警告

## 日常のカニバリズム

爛漫と花をつけた桜並木の下を自転車で走っていく。つがいの鴨は川面を滑るように進み、白鷺が中洲に舞い降りる。去年と変わらない春の光景。ただ違うのは、土手にシートを広げて憩う花見客の姿がないことだ。花や鳥たちにとっては変わらぬ春。人にとっては不穏な春。どこまでも続く花の下を走り抜けながら、それぞれの生物が生きている環世界の違いをあらためて思う。同じ時空間を共有していながら、棲んでいる世界は異なっている。

でもいま、私たちが恐れているのは異なる環世界の間を往き来するものだ。動物から人へ、人から人へ。生物の間を往き来し、感染し、影響を及ぼすもの。

かつてレヴィ＝ストロースは狂牛病(牛海綿状脳症：ＢＳＥ)について、人間が作りだした共食い《カニバリズム》の帰結として論じた。ウシの死骸の一部を飼料に混ぜて家畜に食べさせたことがこの病の蔓延を招き、病んだウシの肉を食べることで人間も死の危険に晒される。彼が指摘したのは、ウシがウシを食うことだけではなく、人がウシを食べることもまた、動物同士の共食いという一種のカニバリズムにほかならないということだった。そこには「食べる」という抜き差しならない関係を通して他の存在とつながりあい、相手の一部を自己の中に摂り入れ、それによって危機的な影響を被ってしまうという、つながりと同化の負の側面が示されている。

だが、あえてカニバリズムというまでもなく、私たちは常にそうした危うさをはらんだ自他のつながりと融合を生きているのかもしれない。無数の物質を摂りこむことで「私」が形成されると同時に、「私」から出ていく物質には私の一部が含まれている。そのようにして、私は無数の他からなるとともに、無数の他の中に拡散している。自己でもあり他でもある物質《サブスタンス》は、そうしていくつもの環世界の間をめぐり流れる。

食べること、触れあうこと、世話すること、分かちあうこと。そうした日常的な行為を通して、私と人間ならざるものを含む他者たちの断片は延々と受け渡しされ、摂取され、放出され、拡散し、循環していく。

南アジアの村で、あるいはメラネシアの島で、人類学者たちはそうした相互浸透的で拡散的な「人」のありように出会ってきた。水や食物、血液や母乳、供物や贈り物。それらの内に含まれ、やりとりを通して人びとの間を受け渡されていくものを、人類学者は「サブスタンス＝コード」と呼んだ。それは物質としてのサブスタンスと、人のありようを方向づけ、自己と他者、人間と自然の関係を秩序づける規《のり》との一体性をあらわす概念である。人類学的な議論において、このように他者のサブスタンス＝コードを摂りこむことで生成するとともに変容し、自己の一部を放出することでつながりの中に拡散してゆくような人のあり方は、明確な境界をもち、それ以上分けられない存在としての「個人（individual）」と対比されるべき「分人（dividual person）」と呼ばれ、一部の非西洋社会における独特な人間像を表すものとされてきた。

## 「サブスタンス＝コード」としてのウイルス

ところで、生物学者の中屋敷均によれば、ウイルスなるものは一般に、キャプシドというタンパク質の集合体が、固有の遺伝情報からなる核酸を包みこむという基本構造をもつという。中屋敷はまた、親から子へという鉛直方向における遺伝子の伝達とは異なり、同時代に存在する他種の生物の間で遺伝子がやりとりされるという、遺伝子の「水平移行」を媒介するウイルスの働きについて述べている。たとえば、ある宿主の遺伝子をウイルスが運び出して別の宿主に感染することで、前者の遺伝情報が後者に移行することがありうる。コード化された情報を内包し、宿主の間を水平方向に移動していく物質。とすればウイルスは、いわば文字通りの「サブスタンス＝コード」だといえるかもしれない。

ただしもちろん、それは人類学者によって長らく議論されてきたサブスタンス＝コードと同じではない。人類学的な議論において、「コード」という語は符号化された情報というよりも人としての規を意味しており、ゆえに人類学的なサブスタンス＝コードの概念には、社会関係や価値観やモラルなどが含意されている。他方で、ウイルスに含まれるコードは本来的に、社会的なものでも倫理的なものでもない。

その一方で、ウイルスを含む生物学的なサブスタンス＝コードの流通は、社会化されることがありうる。たとえば、あるウイルスの感染経路をたどろうとするとき、それはウイルスが伝播していく宿主と宿主の関係性をたどり、明らかにしていくことにほかならない。そのつながりは次々に枝分かれし、伸展し、拡散していく。このとき、宿主である「私」の微小な断片が接触を通して社会関係の網の目の中に分散していくとともに、無数の他者たちの断片が知らぬ間に「私」の中に混入していることが、想像でも比喩でもなく、端的な事実として知らしめられる。

そうして気づかされるのは、透過的で拡散的な「分人」としての人が、遠い異文化に生きる人びとの想像の産物であるのではなく、確固たる境界をもち、これ以上分けることができない存在としての「個人」こそが、たぶん幻想なのだということだ。

## 流通を制御する

サブスタンス＝コードや「分人」などの概念を提唱した人類学者たちは、南アジア社会において、危険をはらんだ「他者」との接触や物のやりとりがもたらすかもしれない影響から自分の身を守るために、人びとが編みだした規範やふるまいの例を報告している。相手と触れあわない、共食しない、同じ食器を使わない。あるいはまた、相手と適切な距離をとり、互いの間に一時的な境界を引く。

他者との接触は潜在的な畏れをはらみ、接触にともなうサブスタンス＝コードのやりとりには常に危険が潜んでいる。そして、そうした危険を回避するためにつながりを断ち切ろうとする方法は、いつもどこか似通っている。

遺伝情報からなる核酸を包みこんだタンパク質の集合体。そんな生物学的なサブスタンス＝コードは本来的に、人間的なものでも社会的なものでもない。だが、それが社会関係を通して伝播し、拡散し、それを受け渡しする人びとの生に重大な影響を及ぼすとき、人類学者の見出したサブスタンス＝コードの場合と同じく、その流通を制御し、やりとりをコントロールするための方法が編みだされる。

ただし今や、そのために用いられるのは洗練されたテクノロジーだ。スマートフォンの位置情報や検索履歴の統計データを用いたクラスター発生エリアの推定、携帯電話やＩＣカードのデータを用いた感染者の移動経路の特定、スマートフォンのアプリを用いた利用者同士の接触の記録と感染者との接触の通知。

これらのことを可能にしているのは、普段はさほど意識されることもないスマートで便利な情報ネットワークだ。ウイルスという生物学的なサブスタンス＝コードの流通を把握し、制御するためにインフラ化した情報のネットワークが用いられ、それを補完するために新たな技術が開発されていく。人びとの移動経路が追跡され、互いの接触が記録され、感染の軌跡が可視化される。そうやって部分的にせよ露わにされるのは、皮肉にも「個人情報」という名で呼ばれる私たちの痕跡、私たちの断片、私たちのつながりと混交と拡散のありさまである。たぶん individual など、これまでに一度も存在したことはなかったのだ。

だが、人間によるそうした把握や制御の試みをよそに、ウイルスは人と人の間を、異なる環世界に生きる生物たちの間をめぐり流れる。そのことが可能であるのは、まずもって異なる存在である〈私-たち〉の間に、少なくとも授受の関係が成り立つような共通項があるからだ。くわえて、ウイルスの迅速な流通と広範な拡散を可能としているのは、人間の作りだした社会的ネットワークの存在にほかならない。

だからこそいま、人間性や社会性とは本来的に無関係なサブスタンス＝コードとして、異なる存在の間をめぐり流れるウイルスの流通を見つめる視座と、そうした流通がどのようなネットワークによって媒介されており、それに対処するためにいかなる社会的・政治的な方法が編みだされ、テクノロジーとして実装され、普及することで社会の常態を変えていくのかを注視する視座の両方が必要であると思われる。生物学的なサブスタンス＝コードの流通と、社会的かつ政治的なネットワークのもつれあいを見定めるために。

## 脆弱な境界

レヴィ＝ストロースの論考に戻ろう。狂牛病の蔓延を、人為的に作りだされたカニバリズムの破滅的な帰結とみる彼の指摘によって気づかされることは、この病は「ウシがウシを食べ、その肉を人間が食べる」という、自然状態ではありえない食物連鎖によって生じたサブスタンス＝コードの思いがけない伝播と混交の結果であるということだ。従来、そうした危険な混交を避け、サブスタンス＝コードの流通を制御する装置のひとつが、禁忌と呼ばれるものであった。自然の掟とみえるまでに根源的な禁忌が破られたとき、危険をはらんだサブスタンス＝コードは制御を超えて氾濫し、それを摂取した者を死に至らしめる。

南アジアの各地で調査を行なった人類学者たちは、サブスタンス＝コードのやりとりを通して他者と混じりあい、浸透しあうことの危険性に、人びとが非常な注意を払っていることに注目していた。それぞれの社会において、他者との接触や物のやりとりは注意深く秩序化されてきたが、それは人間同士の関係性のみならず、精霊や動物といった人間ならざる存在との関係についても当てはまる。

たとえば私の調査地である南インドの村で、人びとがやりとりに際してもっとも気を遣っていた相手は、トラやヘビといった野生動物の霊を含む神霊たちであった。神霊のもつ野生の力は人間にとって危険であると同時に、土地や村の再生産を可能にする豊饒性に満ちている。それは人びとを生かしもし、殺しもする。だから村人たちは儀礼の中で、憑坐《よりまし》に憑依した神霊に供物を捧げてその力を慰撫し、力の一部を受け取ったのちに、ふたたび野生の領域に送り返す。同様に、村ではマーリと呼ばれる天然痘の女神もまた、祭祀の対象となっていた。村人たちは女神に供犠を捧げ、その恐るべき力を慰撫し、鎮めようとする。

危険な「他者」に対する忌避や禁忌は、だから本来、単なる排除ではなく、相手の両義的な力を制御しつつ受け取るための方法のひとつであった。水田に引き入れる水の量を調整するように、そうした儀礼は危険で豊饒な力の流通を調整し、人間と野生との境界を引き直す作業である。それは自他の根本的な差異に基づく絶対的な境界ではなく、むしろ、ふと気を許せば互いが混ざりあってしまうことを前提とした脆弱な境界であり、だからこそ人びとは日々相手との関係を気遣い、禁忌に従い、互いの差異を生みだしつづける。

## 具体のモラルへ

狂牛病に関するレヴィ＝ストロースの論考が示唆していることのひとつは、人と動物、人間と自然の関係性が、人間による過剰な介入によって攪乱され、サブスタンス＝コードの流通を制御していた秩序と境界が崩壊しかけているということだ。

ひるがえって今、私たちの社会を混乱させ、凍りつかせている新型コロナウイルスは、コウモリをはじめとする野生動物に由来する可能性が高いといわれている。また、この新型ウイルスと高い割合で遺伝情報が一致するウイルスが、中国南部の税関で押収され、冷凍保存されていたマレーセンザンコウからも見つかったという。記事によれば、絶滅が危惧されているセンザンコウは食材や伝統医薬の材料としての需要が高く、「世界でもっとも違法取引されている哺乳類」だといわれる。このセンザンコウを含む野生動物を取引する市場が、ウイルスの宿主である動物と人間の接点となり、新たな感染症の発生源となる可能性があるという（『朝日新聞』二〇二〇年四月二六日; Lam et al. 2020）。

狂牛病の場合と同じく、ここでもまた問われているのは人と動物、人間と野生との距離と境界のあり方であるだろう。異なる存在でありながら混ざりあい、授受の関係を結んでしまう共通項をもった〈私-たち〉。だからこそ適切な距離をとり、相手との関係性を気遣い、脆弱な境界を自分たちの手で維持しなくてはならないはずだった。(1)

だが私たちはもはや、身になじんだ共通の規範をもたず、守るべき禁忌を知らず、危険をはらんだつながりにどう対処すればよいのかもわからず、途方に暮れているようにみえる。自身の境界の脆さを知り、「個」としての自己が幻想であったことに気づいたとき、私たちにできることはスマートな統治と監視のネットワークに進んで参与することで、「個」としての自己の境界を、あるいはその集合体としての「我々」の境界をさらに防御し、強化することだけなのだろうか。

たとえそうだとしても、それでもなお、私たちがすでにそのような存在としてあるこの透過性、この脆弱さ、この不意打ちで不可避のつながり、他者に開かれたこの身体を、どのように生きればよいのかを考えつづけないわけにはいかない。

食べること、触れあうこと、世話すること、与えあうこと。

サブスタンス=コードの流通を促し、あるいは抑制するその方法を、個人と集団に対して用いられる統治のテクノロジーとしてではなく、モノと貨幣の流通に還元されるエコノミーとしてだけでもなく、ともにさまざまな要素からなり、人間ですらないかもしれない〈あなた〉と〈私〉との具体的な関係性において、再考していかなくてはならないだろう。

〈私〉はどのように〈あなた〉の断片を受け取り、〈私〉の断片はどのように〈あなた〉の中に摂りこまれていくのか。〈私〉と〈あなた〉は互いにどのようにつながり、あるいは避けあうべきなのか。その論理や作法を「コード」と呼ぶならば、それはかつてサブスタンス＝コードという言葉を提唱した人類学者が想定したように、モラルや規と同義であるのかもしれない。ただしそれは、ひとり人間だけのものではなく、野生の神霊や疫病の女神とやりとりの関係を取り結んでいた村人たちにとってそうであったように、動物やウイルスといった人間ならざる存在をも含みこんだモラルとなるはずだ。

## センザンコウの警告

人類学者のリュック・ド＝ウーシュは、ザイール（現コンゴ民主共和国）のレレ族の間で祭祀の対象とされてきたキノボリセンザンコウについて論じている。それは全身が魚のような鱗で覆われ、樹上に棲み、一度に一匹しか子を産まないという特徴をもつ哺乳類だ。豊饒性の源である水と結びつき、女性の生殖力を増大させる力をもつとされるこの動物を、レレの人びとは「首長」と呼ぶ。

センザンコウはまさに宇宙の縮図である。それは、水と地と天の生物の特性を併せ持ち、さらに、子を一匹しか産まないことにより、度を越して多産な世界での節度ある人間の生殖を象徴的に表わしている。［略］その仲介によって、村と森、人間と精霊は、特権的に関係を結ぶのである。（ド＝ウーシュ、『アフリカの供犠』）

通常の動物分類にあてはまらないからこそ、レレの人びとにとってセンザンコウは精霊動物として禁忌の対象となり、また祭祀の対象ともなる。人びとはこの動物を畏れ、狩りを禁じることで適切な距離を保つと同時に、儀礼という特別な場で食することでその豊饒力を制御しつつ摂り入れ、日常の秩序を活性化しようとする。

適切に気遣い、適切に畏れ、適切につながり、適切に遠ざかること。

いま、私たちを果てしのない混乱に陥れているウイルスを媒介した可能性をもつ野生動物のひとつがセンザンコウであるのは、おそらく偶然にすぎないのだろう(2)。でも、レレの人びとを畏れさせたこの動物の特異性が多くの人間の欲望を掻き立て、大規模な密猟と闇取引によって絶滅の危機を引き起こす一方で、その危険な断片の世界的な流通と拡散を促しているのだとしたら。それは禁忌を忘れた人間の過剰な介入による境界の崩壊と、制御を超えたサブスタンス＝コードの氾濫の、いまひとつの破滅的な帰結を示唆しているのかもしれない。

狂牛病に際してレヴィ＝ストロースは、「カニバリズム」という言葉を喚起することで人と動物、人間と自然との関係性を問いなおそうとした。同様にセンザンコウという名前は、レレの人びとの禁忌と祭祀を思い起こさせることで、私たちがいま、どのような禁忌をみずからに課し、どのような種間の倫理を創造すべきなのかを暗示する、ひとつの符牒《コード》、声なき警告であるように思われる。

(1)このことは、「ある地域の住民が自然と文化を不適切に混交させることで問題を引き起こしている」といったオリエンタリズム的な批判を意味するものではない。私たちの多くにとってすでに、「野生」は自明なものではない。問題は、自然への過剰な介入を招き、「野生」の改変と操作、流通と消費を促進する私たちの欲望であり、グローバルなネットワークのあり方であるだろう(Zhan 2005; Fearnley 2020 参照)。

(2)センザンコウはコロナウイルスの宿主となりうるが、この動物が新型コロナウイルス(SARS-CoV-2)を媒介した可能性については研究者の間で議論が続いている。Cyranoski(2020)、Lam et al.(2020)、Zhang et al.(2020)参照。

●参考文献

『朝日新聞』二〇二〇年四月一六日「違法取引の哺乳類も感染源? センザンコウから似たウイルス」https://digital.asahi.com/articles/DA3S14444432.html?pn=3
ド=ウーシュ、リュック『アフリカの供犠』浜本満・浜本まり子訳、みすず書房、一九九八年
中屋敷均『ウイルスは生きている』講談社現代新書、二〇一六年

レヴィ=ストロース、クロード「狂牛病の教訓——人類が抱える肉食という病理」川田順造訳、『中央公論』二〇〇一年四月号

Cyranoski, D. 2020 'Mystery deepens over animal source of coronavirus', *Nature* 579.

Fearnley, L. 2020 'The pandemic epicenter: Pointing from viruses to China's wildlife trade', *Somatosphere: Science, Medicine, and Anthropology*. http://somatosphere.net/forumpost/wild-virus/

Lam, T. T. *et al.* 2020 'Identifying SARS-CoV-2 related coronaviruses in Malayan pangolins', *Nature*. https://doi.org/10.1038/s41586-020-2169-0

Zhan, M. 2005 'Civet cats, fried grasshoppers, and David Beckham's pajamas: Unruly bodies after SARS', *American Anthropologist* 107 (1).

Zhang, T. *et al.* 2020 'Probable pangolin origin of SARS-CoV-2 associated with the COVID-19 outbreak', *Current Biology* 30 (7). https://doi.org/10.1016/j.cub.2020.03.022

いしい みほ　一九七三年大阪府生まれ。文化人類学者。京都大学人文科学研究所准教授。『精霊たちのフロンティア』『環世界の人類学』『めぐりながれるものの人類学』など。

酒井隆史

# 「危機のなかにこそ亀裂をみいだし、集団的な生の様式について深く考えてみなければならない」

「資本新世」の世界へ、ようこそ

二〇二〇年三月一六日、世界の片隅から、ひとつのコミュニケが発信された。[1]

すべての同胞たちに

いま、COVID－19あるいは「コロナウイルス」は、人間の生命に対する深刻で科学的に証明されたリスクをもたらしている。

いま、悪しき諸政府とその政治的階級は、責任感も真剣さも欠如しているありさまである。

国籍、性別、人種、言語、宗教、政治的所属、社会階級、歴史に関係なく、万人を危険にさらす致死的ウイルスに対し必要な措置をとるかわりに、この重大な人道主義的問題を利用してたがいに攻撃しあっているのだから。

いま、ウイルスの広がりと深刻さについての正確で迅速な情報も、ウイルスと格闘するための首尾一貫した計画も欠けている。

わたしたちはサパティスタとして、生命のための闘争をおこなっている。


これらのことをふまえて、以下のように決定した。


第一に、わたしたちは、コミュニティ、タウン、バリオ(居住地)、そしてサパティスタ組織体のすべてに、厳戒態勢を宣言する。

第二に、よき統治評議会(Juntas de Buen Gobierno)と反乱中のサパティスタ自治行政区に対して、カラコル(運動の本拠地)と抵抗と反乱のセンターの完全かつ即時の閉鎖を推奨する。

第三に、支援の拠点とサパティスタの組織機構に対して、サパティスタのすべてのコミュニティ、タウン、バリオに配布される一連の勧告と特別な衛生措置を順守することを推奨する。

第四に、悪しき政府の無為無策のなか、このパンデミックを生き延びるのに必要な科学的根拠にもとづいた衛生対策にしたがうよう、メキシコと世界中のすべてのひと(todos, todas, todoas）に強く求める。

第五に、わたしたちは、フェミサイド（女性の殺害）と女性に対する暴力との闘いを継続し、領土と母なる地球を守る闘いを継続し、失踪者、殺害者、投獄者のための闘いを継続し、人類のための闘いの旗を高く掲げようと呼びかける。

第六に、すべての人に、人間的な接触を失うのではなく、同胞としての関係の形態を一時的に変えることを呼びかける。

言葉、注意深い耳、そして心は、道、カレンダー、地域など、たがいに出会う方法をたくさんもっている。この生命のための闘いも、そのひとつになりうるのだ。

メキシコ南東部の山から。

このコミュニケが発表された三月一六日の段階では、オリンピックにむけて全力で楽天的見通しが語られていたこの日本はもちろん、世界的にも、この事態をどう把握すればいいのか、どういう方針をとるべきかで、当局から運動組織にいたるまで、いまだ大きな混乱をみていたことは注意されるべきである。(2)

一九九四年、冷戦以降のネオリベラリズムによる世界制覇の極点のひとつをなした自由貿易協定である北米自由貿易協定（NAFTA）発効の日に蜂起し、それ以来、紆余曲折をへながらも、チアパス地域に自治区を形成しているかれらは、それ以降のネオリベラリズムの世界制覇に対抗する諸運動に、さまざまの意味でインパクトを及ぼしてきた。(3) そのかれらが、ネオリベラリズム政策に深く相関しているパンデミックに、すばやい対応をみせたわけである。

ネオリベラリズムと今回のパンデミックの関係についてはすでに各所で指摘されている。被害の深刻化の一因には、社会保障の解体による医療制度の弱体化があって、この度合いによって各国のパンデミックの対応が異なり、その深刻度も左右されている。(4) このかん、とりわけ二〇〇三年のSARS以降、パンデミックの危険について専門家たちはしつこく勧告していた。にもかかわらず、社会保障の削減を旨としたネオリベラル政策のもとにある諸国は、感染症対策部門を切り捨て、医療体制そのものを弱体化していった。日本では、それが医療崩壊への憂慮から逆算して人間の健康や生命にかかわる施策が制約されたり放棄されるという「倒錯的」状況をもたらした。市場の論理の生命基盤領域にいたるまでの拡大は、大製薬会社から抗生物質や抗ウイルス剤の研究開発への誘因を奪ってきた。さらに移動の激化がある。グローバリゼーションという一般的傾向を大きな文脈としながらも、二〇〇八年の金融危機以降の経済成長の中核のひとつ、インバウンド政策による旅行者の移動の頻度上昇が拡散の速度と拡がりを規定した。

しかし、今回のパンデミックには、ネオリベラリズムに多大なる責任を負わせるだけではすまない次元がある。つまり、資本主義そのものにかかわる文脈である。

その意味でも、このサパティスタの事例は示唆的である。なぜかれらがいちはやく、パンデミックの危険に応じ、独自の対策をとるにいたったのか、その背景に、先住民と植民地主義の記憶の継承を想定しないことはむずかしい。ヨーロッパからの新移民の持ち込んだ感染症によるジェノサイドである。これが資本主義の血塗られた起源の一コマであることはいうまでもなく、その「根源的暴力」のエコーをここに聴き取ることもできるはずだ。近代文明をいわば「資本新世」として生きざるをえなかったのが、かれらなのである。(5)

パンデミックが、資本主義、そしてそれと不可分である近代文明そのものにかかわっていることは多くの指摘がある。たとえば国連環境計画は、この四月に「動物由来感染症」の危機を拡大させる要因を以下のようにまとめている。(一)森林破壊や他の土地利用転換、(二)規制が弱く違法な野生生物取引、(三)農業と家畜生産の増大、(四)細菌の薬剤耐性、そして(五)気候変動である。(6)

これらの要因は総じて、社会と生命体の浸潤する領域に資本主義が与えつづけている巨大な危害に由来している。

このかんサパティスタによるものとして流通していた、ある文書はこういっている。(7)「世界の終わりは、資本主義の勝利とともに、わたしたちの惑星を支える自然的要素やわたしたちの生を破壊する資本主義の複雑なシステムが勝利したときにはじまったのです」。

### だれが「停止」を必要とするのか?

COVID−19パンデミックへの、ある時点までの政府の対応については、おおまかに三つに分類できるようにおもわれる。(1)権威主義的方法(中国をモデルとして、ヨーロッパをはじめ世界に拡大した)。(2)早期の封じこめと緩和策(韓国や台湾がモデル)。(3)ウルトラ・リベラル(ブラジル、(1)に転換以前のアメリカ合衆国やイギリス)。

このように分類したうえで(ちなみに日本は(1)と(2)をドリフトしているといえよう)、チアパスの位置するメキシコがどこに位置するのかというと、実は(3)である。周知のように、メキシコは現在、左派政権のもとにある。したがって、メキシコが、ボルソナロやトランプのようなウルトラ・リベラルと対策において肩を並べているといった事態は、にわかには信じがたい。しかし、大統領アンドレス・マヌエル・ロペス・オブラドールは、ウイルス対策にまつわるさまざまの提言を軽んじ、ときに露骨に無視してみせながら——たとえば、これみよがしに支持者をハグするなど——、故意に無策をつづけている点では、ボルソナロに似ている。このような態度の背景にはオブラドールの開発主義による経済重視があるのだが、それが市場（富裕層）のためか民衆（の暮らし）のためかは関係なく、資本主義経済を社会的統治の揺るぎない機能的枠組みとする強度の高さがそこには共通している。

ただし、ここにはひとひねりあることは指摘しておきたい。わたしたちは、このパンデミックが万人に平等に訪れるわけではないこと、すでにある矛盾――とりわけ階級分化――を激化させていることは知っている。ところが、メキシコのある州知事による「われわれ貧民には免疫があるので病気などなんともない」という発言[8]が示唆するように、第三世界には今回の感染症をエリートあるいは富裕国の病とみなす傾向があった。先述したように、今回のパンデミックがグローバリゼーションと不可分であること、国際的観光業隆盛のなかの現象であることが、そのような現実の一側面を示している。パンデミックは、この世界の亀裂の錯綜を浮き彫りにしているのである。

このような錯綜が「例外状態」をめぐる議論にもあらわれている。先ほどパンデミック初期の混乱について述べたが、そこで浮上したのが「例外状態」をめぐる争点であった。ひとつの極には、この事態を「捏造されたスペクタクル」とし、危機の演出を通して権力行使が強化されることへの警戒を呼びかける議論があった[9]。しかし、(1)を体現しているボルソナロ大統領が、地方自治体などによる緊急事態的措置に「自由」を掲げて抵抗しているという奇妙な風景や、アメリカ合衆国での右派や保守派によるロックダウンへの抗議行動(トランプによって陰に陽に煽られている)のように、権威主義的リベラルの側が例外状態的政治に対抗するといった事態が、ここからは説明しにくい。少なくともこれらの状況は、議論をひとひねりする必要を要請している。

サパティスタのコミュニケをみると、そこでは施設の「閉鎖」と「関係の一時的変化」が求められている。これは非権威主義的な推奨というかたちをとった日常の「停止」を表現しているとみなすこともできる。ここでの「停止」は、もちろん、人びとの健康の維持、生命の保持を目的としている。このような性格の「停止」にかんして、わたしたちはよく知っている。つまり、ストライキである。ストライキとは、経済活動の「停止」である。「停止」は、さまざまのかたちのささいな怠業からはじまって、規模を大きくすると(ゼネスト)一都市、あるいは一国の機能全体を麻痺させるにいたる。そしてその「停止」を通して、生命(健康や生活)にかかわる要求を貫徹させようとする、民衆の手段である。

民衆はとりわけ近代において、「停止」を武器としてきたのだが、それは資本が「停止」を嫌うことを前提としている。資本制に支配された社会において資本は「わたしを止めるな」と命じるものであるから。資本は無際限の蓄積衝動をその駆動力としているのであって、それに駆動された運動が停止すればいずれ死んでしまう。ネオリベラリズムは、そのような「停止」

を嫌う資本の論理をよりスムーズに遂行可能なものに社会へと全面的に再編成するプロジェクトでもあった。とするならば、ボルソナロ、トランプ、そしてオブラドールとは、この資本の「停止」を禁じる命法の化身なのである。そして、現代のパンデミックに対する各国家の対応は、基本的には、人間の健康や生命ではなく、その経済の命法にどのように対応するか規定されている。

現在の危機において、例外状態をめぐる批判がむずかしいのは、このような民衆の生活に根本的にかかわる「停止」の必要が厳然と存在しているからである。アメリカ合衆国のロックダウンに反対する右派市民による要求が、単純化されてはいるが、「美容室に行かせろ」であって「美容室で働く人間」の必要とはズレているという状況がよくそれをあらわしている(要するに、経済の継続のためのリスクを負うのはやはり困窮した労働者なのである)。

しかし、ここでは、もう少し踏み込む必要がある。先ほどのテキストの引用にあるように、アメリカの先住民にとって、「世界の終わり」はすでに資本主義とともにはじまっていた。そういう意味では、かれらにとっては、この近代文明そのものが、常態としての「例外状態」だったのである。ここがまた、あたかもいつでも復帰できる通常状態があるかのように語られる例外状態論が、今回、現実とどこかすれちがってしまう理由だろう。

いずれにしても、日本語話者の多くは、チアパスの先住民とは異なり、徹頭徹尾、大地を喪失した都市社会を生きている。ウルトラ・リベラリズムの対応は論外として、問われるべきは、あるレベルではこうなるだろう。パンデミックの抑え込みの方法としては、かたや、(1)の権威主義的方法がある。これは、ある意味で古典的規律《ディシプリン》権力である封じ込め《ロックダウン》を主要な手法としている。かたや(2)のいわば現代的管理《コントロール》権力による抑え込みがある。これは経済と生命の双方のジレンマを解決する穏健な方法として、現在、もっとも評価されている。警察権力を前景化した見た目で恐怖を誘う(1)に対し、(2)は携帯電話とCCTVをフル稼働させた「スマート」な監視方法に拠っている。たしかに、韓国において、それがある程度「非権威主義的」に行使されたことを無視するべきではないし、そこには学ぶべきものが多くある。[10] しかし、それが前代未聞のおそるべき監視技術であったことはまちがいない。[11] この方法が今後、どのようにこの社会のインフラに埋め込まれ、統治に奉仕するか、恐怖すべき未知数である。さらにいえば、この方法もつきつめれば、「わたしを止めるな」の命法に対しどう生命の危機を深刻化せず解決するかという問いにおいて「優等生」であったことである。今後の「破局的世界」においていて、この権力がどのように作動するのか、すでに(2)の技術をも権威主義的に統合させている中国をみるならば、この東アジア・モデルが戦慄すべき未来をかいまみせたことはまちがいない。

## 危機と破局

近年しばしば引用されるフレーズに、わたしたちの時代の危機《クライシス》は破局《カタストロフ》に似ているというものがある。今回のパンデミックが開示したのは、まさにその警句そのものの世界である。ごく微細な動物由来のウイルスが、種の境界を横断し、嬉々として変異をくり返しながら、ついに「通常状態」の幻想膜を突き破り、先進国中枢の経験まで全面的な「例外状態」にたたき込んだ。

先にふれたサパティスタのものとして読まれていたテキストはこう述べている。「わたしたちは危機のなかにこそ亀裂をみいだし、集団的な生の様式について深く考えてみなければなりません」。

筆者としては、どこの指導者が優秀か、どこの政府機関が健全かといったことよりも、もっと興味ぶかかったのは、サパティスタのコミュニケをはじめとして、ウェブを通じて世界中で伝えられる、人びとの要求であり、行動であり、そこで交わされるアイデアの交換、そしてそれを翻訳のようなかたちで伝播させては、みずからの糧にしようとする人びとの熱意であった。さまざまな境界を横断した人びととのいたわりあいの表現があり、そして、その世界を守るために、あるいは、そのいたわりあいから突きつけられる、ときに大胆なもうひとつの世界への要求がそこにはみられる。そこでは総じて、サパティスタのコミュニケが先駆けて示唆していたように、強権による私権の制限か日常の継続かという対立軸を超え、わたしたちがたがいのケアによってパンデミックをどう生き抜くかが問われているのである。「アフター・コロナ」を語る言説は多い。しかし、それ以降を定めるのは、この出来事が露呈させた亀裂をどう見極め、どう経験し、どう生きるかにかかっている。破局の二一世紀の幕は開いたのだ。

(1)EZLN closes Caracoles Due to Coronavirus and Calls on People Not to Abandon Current Struggles (http://enlacezapatista.ezln.org.mx/2020/03/17/ezln-closes-caracoles-due-to-coronavirus-and-calls-on-people-not-to-abandon-current-struggles/)。なお訳文については、紙幅の都合もあり、サパティスタ特有の文体を少し犠牲にしている。

(2)Jérôme Baschet, Qu'est-ce qu'il nous arrive? Beaucoup de questions et quelques perspectives par temps de coronavirus (https://lundi.am/Qu-est-ce-qu-il-nous-arrive-par-Jerome-Baschet)

(3)ここでは苦境にあるといわれているサパティスタ運動の現在をふまえて論じることはできない。小林致広「サパティスタ運動における自治領域構築」『京都外国語大学ラテンアメリカ研究所紀要』一六号、二〇一六年をみよ。

(4)日本でも、一九九二年には全国八五二カ所に設置されていた保健所は、改革の名のもとの削減によって二〇一九年には四七二カ所まで四五%も減少している。大石あきこ、山本太郎「「都構想」の先取り。衛生研究所の統合・民営化」(https://www.oishiakiko.net/talk-with-taro-about-eiken/)などをみよ。

(5)ボルソナロのもとでのブラジルでは、先住民「絶滅」の危惧が叫ばれている(「ブラジル・アマゾンの先住民、新型コロナで「絶滅」危機 著名写真家が大統領に公開書簡」https://www.afpbb.com/articles/-/3281583)。

(6)First Person: COVID-19 is not a silver lining for the climate, says UN Environment chief (https://news.un.org/en/story/2020/04/1061082)

(7)DEPUIS LE CHIAPAS : «COMMENT VIVONS-NOUS LA CRISE SANITAIRE MONDIALE?» : Avec tranquillité, conscience et prudence (https://lundi.am/Depuis-le-Chiapas-Comment-vivons-nous-la-crise-sanitaire-mondiale)(「チアパスより――われわれはどのようにグローバルな健康危機を体験しているか」http://hapaxxxx.blogspot.com/2020/05/blog-post.html)。のちにこのテキストはサパティスタのものではないことが判明した。しかし、このブログの注記が述べているように、三月一六日のコミュニケに対する註釈として重要なテキストであることはまちがいない。それと、このような出所不明のテキストが流通して、世界中の人びとが読み、連帯と勇気を分かち合っていた状況の記録としても意味があるとおもう。

(8)Los pobres somos inmunes al coronavirus; afecta a los ricos: Barbosa (https://www.jornada.com.mx/ultimas/estados/2020/03/25/los-pobres-estamos-inmunes-de-coronavirus-barbosa-7821.html)

(9)哲学者ジョルジョ・アガンベンは、二月の時点で、COVID-19パンデミックの危機について、危機の誇大な演出による例外状態の常態化と断じていた。Giorgio Agamben: coronavirus et état d'exception (https://acta.zone/giorgio-agamben-coronavirus-etat-dexception/)。この議論が、運動レベルにおいても、パンデミック初期の対応の混乱に一役かったといわれている。

(10)徐台教「権威ではコロナを抑えられない——過去の教訓を生かした韓国の対策」(https://imidas.jp/jijikaitai/d-40-140-20-04-g734?fbclid=IwAR18mytbiAoqxgZAU3XW4805ny1Kz9pFqyvz0rKt2QKlnMB-yks1P7E6OHg)。

(11)たとえば、Jung Won Sonn, Coronavirus: South Korea's success in controlling disease is due to its acceptance of surveillance (https://theconversation.com/coronavirus-south-koreas-success-in-controlling-disease-is-due-to-its-acceptance-of-surveillance-134068)をみよ。

さかい たかし 一九六五年生まれ。社会思想史。大阪府立大学教授。『完全版 自由論』『通天閣』『暴力の哲学』ほか。

# コロナと権力

杉田 敦

私の身体はまだ新型コロナウイルスに感染していない(かもしれない)が、精神は間違いなく感染している。コンピュータウイルスに乗っ取られたパソコンのように、私の思考過程はコロナに監視され、コントロールされ、リソースを奪われているからである。

グローバルなリスクについて考える際に、感染症は、数あるリスクの一つとして私にも意識されてはいたが、その緊急性の認識は低かった。今回の事態は、そうした想定を裏切るものであった。

本稿の執筆時点で、このウイルスについては、まだ不明な点が多い。わかっているのは、潜伏期間が比較的長く、潜伏期にも感染力があること。感染しても顕著な症状の現れない場合が多いこと。重症化率と致死率は比較的低いこと。感染は接触・飛沫感染を中心とするらしいこと。糖尿病・高血圧などの既往症をもつ高齢者が深刻化しやすいこと、などである。特効薬はまだなく、ワクチンもまだ完成していない。

潜伏期間が長く不顕性感染が多いことから、すべての感染者を見つけるのが難しく、感染経路の追跡には限度がある。同じ理由から、院内感染を完全に防ぐことも難しい。エボラ出血熱などと異なり、死亡率が低いことも、感染経路の遮断を困難にする。総じて、尻尾をつかみにくいウイルスである。

私たちは、このウイルスの感染拡大を、近年のグローバル化の帰結と位置付けたい誘惑に駆られるが、それは必ずしも正しくない。すでに二〇世紀初頭の段階で、スペイン風邪は数カ月以内に世界規模で広がり、この極東の島国でも猛威を振るったのである。ウイルスというものはコンピュータウイルスと同じくらい易々と国境を越える。したがって、「水際対策」という発想には、ウイルスに関しては、そもそも限界があるのだ。しかし私たちは、そうした発想にしがみ付きがちである。

## 感染症対策と権力の技術

ミシェル・フーコーは権力について考える際に、しばしば感染症の歴史に言及した。彼の整理によれば、古代以来、代表的な疫病とされたハンセン病については、感染力が弱いので、発見された感染者を隔離する対策がとられた。ところが中世に大流行したペストはより感染力が強く、感染者を見つけた時にはすでに周囲に感染が広がっているので、発見された感染者を隔離するだけでは済まず、空間を区切って感染状況を把握し、感染地域を封鎖する検疫という技術が用いられることになった。その後、天然痘などのウイルスは、さらに感染力が強いので、もはや検疫では対応ができなくなり、統計的なアプローチが採用される。すなわち、人口全体を対象として、その感染状況を数値的に把握し、死亡率を下げるような対策などを行う。しかもその際に実施されるワクチン接種とは、感染を妨げるのではなく、逆に、感染を広げることで免疫を確立するというやり方であり、感染を止めるというそれまでの考え方を根本から覆すものであった。

フーコーは、感染力の違いに応じたこの三つの感染症対策が、それぞれ異なる権力のあり方に対応すると考えた。すなわち、何かを禁止する「法」の権力、個人の行動を変える「規律」の権力、そして人口全体にはたらきかける「統治」の権力である。

今回のコロナウイルスについては、世界各国で、まずは地域外からの人の流れを遮断し、来訪者を検疫するという対応策が行われ、さらにはロックダウン(都市封鎖)政策が採用され、人々はそれぞれの家に隔離されることになった。これは基本的に、中世のペスト対策の手法であり、フーコーの整理に照らせば時代錯誤的な対策である(ただしフーコーは、新しい権力技術が古い技術を代替するという単純な関係にはなく、古い技術も使われ続けると言っているが)。

事実、WHOでも日本でも、専門家らは当初、人の流れを遮断する政策の限界を指摘していた。それは流行を数日間遅らせる効果しかないとされた。その後、世論の動向に押されてかこのような点は強調されなくなったが、実施された封鎖政策の効果についてはさまざまな点で疑問符がついている。中国からの航空便を他国に先駆けて停止したアメリカ合衆国やイタリアで、他国以上の感染爆発が起こったことは特徴的であり、そのような措置をすり抜ける形で、ウイルスが浸透したことを示している。また、各地での厳しいロックダウンも感染拡大を一気に抑えるほどの効果はもたらしていないようである。

中国、韓国、ベトナム、シンガポールなどを中心に行われて一定の成果を上げた、感染経路追跡という手法がある。携帯電話の情報や市中にはりめぐらされた監視カメラ網などを駆使して、人の動きを把握し、感染者をあぶり出して隔離する。これは、現代的な技術を用いているので、一見したところ新しく見えるが、フーコーの整理との関係でとらえ直せば、やり方としては古典的な検疫の一環であることがわかる。

他方、スウェーデンは独自路線を採用した。それは集団免疫獲得路線であり、人口の相当部分までの感染拡大をあえて許容することで、免疫獲得者を増やして収束させるという戦略である。フーコーの整理に照らせば、ワクチン接種と同様に、ウイルスの時代に即した「統治」の技法であると言える。ただ、安全に感染させることができるワクチンの場合と異なり、ウイルスそのものの感染による集団免疫路線には多くの犠牲が伴う。高齢者を中心に数万人から数十万人の死を覚悟して社会全体の利益を図るというのは、現代社会においてはなかなか受け入れにくい決断である。福祉国家スウェーデンでのこうした選択は興味深い（福祉国家「にもかかわらず」なのか、福祉国家「ゆえ」なのか）。

日本ではどうだったか。東京五輪開催問題などへの配慮からか、国境封鎖は遅れた。その後、感染者の濃厚接触者を中心に「クラスター」を発見して隔離する対策が「国策」として導入されたが、他のアジア諸国のように先端的なテクノロジーを駆使する形ではなく、聞き込みという警察捜査的な手法で行われた。このクラスター対策は、大都市圏以外では一定の効果を発揮したが、その限界は当初から明白であり、その後、緊急事態宣言が発令されて、各自治体の要請で行動制限が行われた。

日本ではPCR検査が絞り込まれたが、これは、いわゆる「医療崩壊」を回避して医療資源を一部の重症者に振り向けようと、意図的に行われたものである。医療環境に余裕ができ次第、検査を拡大して感染者を確実に発見する方向に転換しなければならなかったが、転換には時間を要した。政府は専門家会議を設けて専門家などの意見をそれなりに尊重しながら政策決定を行ったが、政府から独立した別の専門家らが外部から助言を行う態勢がつくれなかったことが、政策の硬直化などにつながった可能性がある。

いずれにしても、日本もまた基本的に「検疫」的な「規律」路線を採用してきたが、その厳密さは欧米などに比べると弱かった。にもかかわらず、これまでのところ、他国と比べて感染者も多くなく、人口比で死亡者の数が低く抑えられているのがなぜかは、今のところ不明である。流行しているウイルスの亜種の違い、人々が持つ免疫に関する違いなどが関係しているとも言われるがまだわからない。

## 規律と分断

ここで考えたいのは、「検疫」的な「規律」という「時代錯誤的」とも言える対策が、世界中で採用された理由と、そのことがもつ意味である。EU加盟国間を含め、各地で国境封鎖が行われた。大統領選挙でメキシコからの移民を止めるための壁の建設を公約したトランプ氏は、国際的な非難を浴びたが、今回、中国からの航空便を停止する彼の措置を批判したのは、中国とWHOだけであった。もっとも、アメリカ合衆国側からの感染をおそれてメキシコ人たちが国境を実力で封鎖しようとするという、彼にとっていかにも皮肉な事態もまた生じたのだが。

「壁」をつくることは正しいのか。接触の制限は、感染リスクを下げる効果をもつ。しかし、ウイルスというものの性格上、壁は必ず乗り越えられてしまう。壁をつくっている人もすでに感染しているかもしれないというところに、今回のウイルスの特徴がある。欧米での都市封鎖に顕著な効果があったかも不確定である。しかし、それでも私たちは不安に駆られ、何らかの

「積極的」な措置をなかなか諦められないようだ。スウェーデン的な集団免疫路線が（イギリスでは一時検討されたものの）他国にほとんど広がらないのも、そのことによるのであろう。集団免疫路線といえば聞こえはいいが、それはウイルスに対して「手も足も出ない」と認めることを意味しているからだ。

かくして採用される「検疫」政策は、しかし、その重大な副作用として、社会の中に分断を持ち込む。地域や職種、人種、年齢、性別などでプロファイリングし、より危険と思われる部分との接触を、私たちは断とうとするようになる。ペスト流行時には、ユダヤ人迫害が激化した。今回も、欧米では東洋人差別が横行し、日本でも、東京のような「汚染地域」から移動してきた人々への差別が深刻な問題となった。さらには、販売員や配達員のように人との接触を伴う業種の人々や、治療のため医療サービスを提供する医療従事者らへの差別さえ見られ、きわめて憂慮される事態となった。「規律」権力は、政府が上から押し付けるものと言うよりは、人々の間から、すなわちいわば下から湧き上がって来るというのが、フーコーの洞察であったが、今回の事態でも、「自粛警察」と呼ばれるような散発的な自警団的な存在が権力の主たる担い手となったのである。

もちろん、ワクチンが開発されれば、事態は大きく変わるだろう。ワクチンを接種することで、私たちは自分たちの身体の中に、一種の「壁」をつくることができる。しかし、そうしたいわば携帯可能な「壁」ができるまでは、私たちは社会の中に壁をつくろうとするようだ。

　このことをどう評価すべきかはなかなか難しい問題である。緊急事態宣言の発令やロックダウン政策で、私たちの権利は制限されるので、政府の権力からの個人の自由を重視する立場からすれば容認しにくい。政府が大したことのない病気を重大な疫病であるかのように装って、「例外化措置をあらゆる限界を超えて拡大する理想的口実」にしている、と批判するジョルジョ・アガンベンのような陰謀説も出て来る。

　しかしながら、もしもロックダウンが人々に心理的な「安心」を与えるのみならず、一定程度は「安全」をもたらす効果があるとすれば、政府主導の感染症対策をいちがいに否定することもできないのではないか。私たちが生存し、健康な生活を行うことも重大な権利であり、そうした権利を守るためには、政府の権力には一定の役割がある、ということになるからである。

　しかも、一般論として、政府の権力をやみくもに否定することは、市場の暴走を招き寄せかねない。現に、市場経済を重視する新自由主義的な論者からは、ロックダウンが経済にもたらす悪影響に鑑み、行動制限を早期に打ち切って、経済を「回す」べきだとする声が噴出している。権利擁護の観点からの政府批判者らは、こうした新自由主義者たちとは立場を異にするにもかかわらず、皮肉にも、結論において連携することになりかねない。

ただし、その一方で、政府権力が過度なものとなることもまた問題であり、今回呼び出された「緊急事態」という概念については、留保を加えておく必要がある。自然災害などの場合と同様に、感染症に対処する上でも、何より大切なのは平時からの準備である。検査・医療体制を充実しておけば、緊急時にも落ち着いて対応することができる。そして、緊急時に一定の行動制限が必要になるとしても、特措法などの既存の法律の活用、さらには新たな立法措置で対応できる。今回の事態でも、議会審議によって対策が遅延したという事実はなく、議会から権限を取り上げて内閣に権限を集中化させるといった意味での、憲法上の緊急事態措置は不要である。

感染経路の追跡を目的として導入された技術などが、一時的な使用にとどまらず、永続的に使用され続ける危険性についても、注意が必要であろう。今後もいつ新たな感染症が発生するかわからない以上、人の動きを把握できるインフラを維持すべきだという主張には、一定の説得力がある。しかし、それがプライバシーの否定など重大な権利侵害につながらないように、目的外使用などを禁止する方策が求められる。

人と人との接触そのものをリスクととらえなければならないような今回の事態の中で、社会的なつながりは大きく損なわれている。そして、ウイルスの発生地が未確定である（スペイン風邪と同様にアメリカ合衆国起源との説もある）にもかかわらず、一方的に中国を非難するトランプ大統領を筆頭に、「悪」の原因を自分たちの外部に見出そうとする態度が、これからさらに広まる危険性がある。社会のグローバル化にブレーキがかかり、経済についても政治についても、ナショナルな単位への回帰が一定程度進むかもしれない。

しかし、それが、強権的な国家主義の評価につながるとは限らない。ロックダウンに際し、人権意識の強い諸国でも政府による行動制限が広く受け容れられたのは、罰則が厳しいからではなかった。自分たちの生命・健康を守るために、自分たちへの「規律」が必要だと多くの人々が認めたからである。こうした権力のあり方には、さまざまな分断という重大な副作用もあるが、それでもなお、そこでの権力が人々の自発性に基づいているという点を見落とすべきではない。実は同じことは、最も強権的な国家の一つである中国の経験についてさえ見て取れそうだ。中国の人々が厳しい制限に耐えたのは、少なくとも部分的には、自分たちの生命・健康に動機づけられていた面があったはずである。

したがって、もしもある国の政府が、感染症対策が進んだことを「成功体験」として、他の問題でも人々を従わせることができると考えたら、手痛いしっぺ返しを食らうことになるだろう。むしろ、政府は能力をより厳しく問われ、厳しい監視にさらされることになるかもしれない。

そして、ウイルスが国境を越えて広がる以上、一国内で仮に一時的に収束させることができたとしても、真の終息につながらないことは明らかであり、ワクチンや特効薬の開発をはじめ、医療環境の脆弱な地域への支援など、国際的な協力関係が(自国の利益という観点からでさえも)必要である。その意味で、今回の感染拡大が、グローバルな連帯の意義を私たちが再確認する一つのきっかけとなる可能性もあるように思われる。

●参考文献

ジョルジョ・アガンベン「エピデミックの発明」(高桑和巳訳)『現代思想』二〇二〇年五月号
ミシェル・フーコー『安全・領土・人口――コレージュ・ド・フランス講義一九七七―一九七八年度』(高桑和巳訳)筑摩書房、二〇〇七年

すぎた あつし　一九五九年生まれ。法政大学教授。政治理論。『政治的思考』『境界線の政治学』『権力論』など。

## 藻谷浩介

# 新型コロナウイルスで変わらないもの・変わるもの

筆者の生業は、現在進行形の事象を分析し、事実（蓋然性の高い推論結果を含む）を認識して、講演や著述で発信することだ。

分析の際には「一次情報」を使う。中核は全数調査の統計数字で、他には自分が赴いた現場での実見、自分が聞いた当事者の生の声などだ。参考として、誰かが編集した「二次情報」のうち、新聞記事のほか、一次情報を整理する立場にある人が書いた書籍や、データ出所の明記された雑誌およびネットの記事も確認する。しかし、それらをさらに取捨選択し加工した「三次情報」（たとえば意見や憶測を書いた記事や、まとめサイト、ワイドショーなど）は、意図して眼や耳に入れないようにしている。

一次情報から見えてくる事実は、ほぼ常に、いわゆる〝世間で共有されるイメージ〟とはズレている。〝世間で共有されるイメージ〟は、一次情報からは遠く離れたところで、三次情報と循環参照をし合いながら形成されるものだからだ。今回の新型コロナ禍の場合も、〝世間で共有されるイメージ"は、以下に示すような一次情報の示す事実とは、さまざまに食い違っていた。

## 二〇二〇年五月末時点での世界のコロナ禍の全体像

コロナ禍は、悲惨な欧米に対し、多くの国が感染を最小に食い止めた西太平洋地域（東アジア・東南アジア・大洋州）、という極端なコントラストをもって進行した。日本の状況は欧米よりは破格にましだが、それでも西太平洋地域の中ではむしろ感染抑止の劣等生である。「日本も明日は欧米のようになる」、あるいは「日本は世界に誇って優秀」と語った論評は、いずれも事実から離れていた。

米国ジョンズ・ホプキンズ大学のサイトに日々更新して掲載される数字に基づけば、二〇二〇年五月末時点で人口の割に最も死亡者が多い地域は、米国のニューヨーク周辺だ（人口一〇〇万人あたり二〇〇〇人程度）。その次がイタリアのミラノ周辺（同一六〇〇人程度）となる。国別にみれば、世界のワースト一〇はすべて欧州の旧西側諸国だ。ちなみに五位が英国（五七〇人）、六位がイタリア（五六四人）、七位がフランス（四三七人）、八位が自粛をせずに集団免疫獲得まで感染を放置しているスウェーデン（四三四人）である。そこから下、二〇位のドイツ（一〇三人）までの間には、エクアドル、ブラジル、ペルーと中南米諸国が三カ国入るが、一一位の米国（三〇〇人超)、一四位のカナダ(一九〇人)を含む一七カ国が、いわゆる欧米先進国なのだ。

これに対し、日中韓台を含む西太平洋地域において、二〇二〇年五月末時点での人口一〇〇万人あたり死者数が最も多いのはフィリピンだ。ただし数字は九人と、これまでに挙げた欧米各国よりも二桁も少ない。欧州の旧西側諸国で最優秀のギリシャが一六人なので、アジアとの間には同じ地球上とは思えないほどの感染状況の差が生じているわけだ。「フィリピンでは未検査の死者が多いのではないか」と疑う方もおられようが、仮に本当の死者数がこの一〇倍あったとしても、あるいは今後同国での死者が一〇倍に増えたとしても、まだドイツの水準には達しない。むしろ英米やイタリア、スペインなどの方が、三月以降の死亡者数の不自然な増加から見て、カウントされていない死者を多数抱えていると見られている。

そして西太平洋地域でフィリピンの次に死者数の水準が高いのが、日本(七人)だ。韓国は五人、中国は三人(武漢のある湖北省を除くと僅か〇・一人)、台湾は〇・三人である。インドネシアが六人、ニュージーランドが五人、豪州やシンガポールが四人、マレーシアが三人、タイが一人、ベトナムやモンゴルは五月末時点では死者ゼロ人だ。欧米と日本の数字だけを確認して「日本はすごい!」と自賛する前に、アジアからどう見えるか自覚した方がいい。

ただし、中国や東南アジア諸国や豪州のように厳格なロックダウンは行わず、台湾や韓国のようなプライバシー侵害を辞さぬＩＴの駆使もせず、要するに政府がさして何もしないまま、責任主体のはっきりしない「自粛のお願い」（その反対の「自粛の解除」となるとなおさら訳が分からない）で乗り切った日本を、ある意味で称賛するアジア人もいるのかもしれない。

筆者と同じ数字を確認しているある国際経済人は、「今回のコロナ禍は、何よりもまず〝欧米の危機〟だった。低所得の外国人労働者に依存する欧米の社会構造の欠陥が露呈した」と語っておられた。二〇二〇年九月には米国をホストにしてG7の首脳会議が行われるというのだが、もともと経済水準の高さで選んだG7は、日本を除けば「コロナ禍の大きさで選んだ」ようなメンバーになってしまった。その中ではダントツに死者数の少ない日本でも、西太平洋地域の中では劣等生なのだから、中韓台などから見れば、もはやG7の権威など地に落ちている。

なお、以上では述べなかった欧州の旧東側諸国（ロシアなど）、南アジア、西アジア、アフリカ、中南米諸国では、二〇二〇年五月末時点では欧米先進諸国に比べ死者数がはるかに少ないものの、急速に感染が拡大中である。西太平洋地域のうち、フィリピンとインドネシアも同じだ。欧米やペルシャ湾岸諸国、シンガポールなどで感染した低賃金労働者が帰国し、大都市の貧困者地区にウイルスが侵入したことで、欧米に遅れて事態が悪化し始めたのだ。前述の経済人は「〝欧米の危機〟の次は〝メガシティ〟の危機だ」と語っていた。本書が刊行される頃には、そこでさらなる変異を遂げたウイルスが登場し、世界に新たな脅威となっているかもしれない。だがその話には、ここでは深入りしない。

## 絶対数が少なくしかも大都市部に偏った国内での死者

以上述べたように日本は、西太平洋地域の中では、感染収束に特に手間取った方だった。しかしそれでも、新型コロナによる日本の最終的な死者数の水準は、一〇〇万人あたり一〇人程度で収まる気配である。二〇一九年にインフルエンザで亡くなった日本人は一〇〇万人あたり二七人だったが、その三分の一程度ということだ。二〇一九年に旧来型の肺炎(誤嚥性肺炎を除く)で命を落とした日本人と比べると、七〇分の一未満となる。さらにいえば、新型コロナ、インフルエンザ、旧来型肺炎、そのいずれでも死者の大多数は後期高齢者であって、中年以下の年代の生命の危険は小さい。

欧米からは「日本では検査数が著しく少ないため、死者数も低めになっているのではないか」という疑念も出ている。しかし検査率が高めの韓国やシンガポールでも死者数水準は日本以上に低いのだから、欧米と西太平洋地域の差を検査数のせいにするのは偏見というものだろう。ちなみに厚生労働省の人口動態統計速報で、日本国内での二〇二〇年三月の死亡者の総数を確認すると、二〇一九年三月よりもむしろ少なめだ。検査数の少なかった三月には、未確認のまま新型コロナウイルスで亡くなった人がそれなりにいておかしくないのだが、いずれにせよ他の死因での死者の減少で相殺されてしまったわけだ。手洗いやマスクの用心が、他の感染症を減らしたのだろう。

しかるに日本では、死者数水準がまだドイツの二〇分の一だった四月中旬に、医療崩壊のアラームが鳴ってしまった。その時点で、全国の病床のうち感染症患者を受け入れ可能なのは〇・七％しかなく（後に二％まで増強）、マスクや防護服、人工呼吸器なども足りなかった。本来の感染症対策が施されていないのに、頼み込まれて新型コロナ患者を受け入れた医療機関では、スタッフが文字通り特攻隊のような覚悟で治療に臨むことを余儀なくされた。社会全体でも、脆弱な医療体制をカバーするために外出自粛を実施せざるをえなくなり、経済は深く傷んだ。

だが正確には、医療崩壊が目の前に迫ったのは東京都など一部の地域に限られていた。同じく二〇二〇年五月末の一〇〇万人あたり死亡者数でみれば、東京都は二二人と全国の三倍以上である。もちろん東京都にしても、死者数は欧州の優等生であるドイツの五分の一、感染を放置して粛然と対応したスウェーデンの二〇分の一の低水準なのではあるが、それでも西太平洋地域の中先進国の巨大都市の中では、現時点では最悪の成績だ。他に国内で一〇人を超えた地域を挙げれば、札幌市や石川県が東京都と同じく二二人、富山県が二一人、川崎市が一五人、大阪市や北海道（札幌市以外）が一三人、福岡市が一二人、横浜市や京都市が一一人、名古屋市が一〇人となっている。人口密度の高い大都市部と、医療介護機関で集団感染の発生した北陸および北海道の成績が悪かった。

他方で四七都道府県の三分の一強に当たる一七県では死者が出ていない。他の多くの県でも、死者数は一〇〇万人あたり一〜二人というところが多かった。同じ都道府県内での差も大きい。たとえば北海道でも、道北や道東、道南では感染は最低限に抑えられた。東京都でも奥多摩町や檜原村、島しょ部のほとんどでは感染者は出なかった。医療崩壊の危機になく、従って学校の閉鎖や外出自粛をせずともよかった地域は、実はたいへん多かったと思われる。しかしこれらの場所でも、ワイドショーで恐怖心を煽られた住民は進んで、経済や学校教育の自己破壊に賛成したのだった。

世界と日本でのコロナ禍の全体像の話は、ここで打ち切る。以下では、今までに押さえた事実を踏まえて、これから日本社会はどう変わるのか、あるいは変わらないのかを論じてみたい。

## コロナ禍は日本を変えるのか?

本稿執筆時点の、二〇二〇年五月末の日本では、「コロナで日本が変わる」というのが、大なり小なり〝世間で共有されるイメージ〟となっているようだ。本書の他のページにも、もしかするとそうした見解が満載になっているかもしれない。しかし繰り返すが、〝世間で共有されるイメージ〟は、事実とは恐ろしいほど食い違う。筆者は「コロナでは日本は変わらない」と考えている。

そもそも日本人にとっては、コロナウイルスの流行自体が、望まぬ変化だった。第一に、自分がコロナウイルスで苦しむのは嫌である。第二に、政府が強権を発動しあれこれ指図して来るのも嫌だ。第三のさらに避けたい変化とは、隣近所、会社内、業界内など、自分の属する「世間」の中で、「あいつは不注意にもコロナに感染した」「あの地域(あの会社)はうかつにも感染者を出した」と後ろ指を指され続けることである。そのため、「インフルエンザのようにコロナへの感染が当たり前になるまでは、人より先に罹患して世間や政府に余計な口出しをされたりしないように用心せねば」というような日本的心情が強く働き、強制ではなく自制、管理ではなく自粛が通用する事態を生んだ。

用心といっても、手を洗う、マスクをする、室内を清潔にする、他人に触れない、近い距離での大声の会話は慎む、といった昔から変わらない所作をするだけのことだ。湿気が高い島国で、食中毒に代表される種々の感染症を防ぐために生活に根付いているものばかりである。「行動変容」の逆で、習慣を変えずに振る舞ったら、今回も効果的だったのだ。

他方で日本社会の伝統の中には、卓を囲んで話しながら飲食する(これは原人時代からある全人類共通の習慣だが)、窓の開かないオフィスで延々と会議する、一部の人に限られるが喫煙して肺を痛める、同じく一部の嗜好だが接待型飲食業に通って異性と近い距離で会話する、など、ウイルスの繁殖に資するものもある。だがたとえば、いったい日本の喫煙者の何割が、この機会に禁煙を決意しただろうか。いかに日本社会が変わろうとしないかは、飲食店内をはじめとする他人と共用する空間での禁煙が、世界のほぼすべての国に遅れてようやく二〇二〇年四月から原則化されたという事実にも如実に表れている。

今回、クラスターの発生源となった例を聞かないにもかかわらず、ホテル、旅館、通常の飲食店、特急や飛行機などはガラガラとなった。だが他方で、通勤を続ける人は続け、喫煙者は喫煙し、一部の夜の店も自粛要請に従わずに営業を続けた。オフィスや夜の街を強制的に休業させることなく、学校や幼保だけを閉鎖するというのは本末転倒である。しかしこのように「オジサンの事情」を優先し、子どもとその親にツケを回すというのはこれまた、過去半世紀近くも少子化を放置してきたのに誰も責められていない日本の、伝統に則る行動に他ならない。日本人の行動を基本的に変革しなかった新型コロナウイルスが、一転して今後の社会を変えていくとは、筆者には信じられない。

というようなことを述べれば、反論を受けそうだ。「日本史には、武家政治の成立や元和偃武(徳川幕府による〝太平の世〟の実現)、明治維新に戦後改革など、まるでそれまでの社会の基本原理がひっくり返るような瞬間が幾つもあったではないか」と。だが、日本史上に記録されたそれらの大変革は、実は未来への飛躍ではなく、以下に述べるようにむしろ古来の伝統への回帰だったのではないかと、筆者は考えるのである。対して律令制導入や一神教の伝来、明治の近代法体系整備など、世界の多くの国でその後の歴史を変えたような事件が、日本では社会の基本構造を変えるほどのインパクトを持たなかった。仏教にしても、神仏習合という形で浸透したのであり、その際に日本化してオリジナルとは異質なものになっている。

「変革」が、実は「伝統回帰」であったという見方を、日本史上の実例から説明してみよう。たとえば太閤検地→版籍奉還・廃藩置県→華族廃止と農地改革という順番で進んだ土地制度改革。荘園制度の下で形成された、多様な地主層が絡む利権構造が、ゆっくりと解体されたのだが、これは「自作農中心の村落共同体による営農」という、古来の基本への回帰だった。日本国憲法の平和主義や天皇象徴制も、日本伝統の対外緊張回避・絶対権力者忌避への回帰である。帝国主義列強の圧迫に過剰反応して、天武天皇を最後に陣頭に立たなかった天皇に軍服を着せ、身の丈を超えた軍事重視と対外侵略に走った戦前の方が、伝統に大きく背いていた。これらの変革は、日本を変えたのではなく、元に戻す方向に作用したのだ。

ということなので、今回のコロナ禍で日本が変わるとすれば、それは伝統を外れて一方向に走り過ぎた部分を、伝統回帰へと是正する動きなのではないかと、筆者は考える。

## 変わるとすれば〝伝統回帰〟の方向へ

日本の伝統でありながら、戦後体制において(場合によってはそのずっと前から)ないがしろにされ、過度にそこから外れた方向に社会が誘導されてきたものとして、皆さんは何を想起するだろうか。鎖国政策に代表される対外的孤立路線か。男尊女卑か。強い中央政府への信頼か。都《みやこ》への経済の一極集中か。お受験教育の重視か。いずれも事実はその反対で、通商を重視した周辺諸国との妥協と融和、女性のリーダーシップへの信頼、小さくて弱い中央政府、多極分散型国土構造、空論よりも実学の重視こそ、日本のそもそもの伝統だった。

たとえば明治の開国は、国境地帯では太古から自主的に多様に存在した外国との交流を復活するもので、「外国の習俗の中で気に入ったものにはすぐ染まる」という日本のお家芸の復活でもあった。全員が髷を切り洋服を着始めた文明開化は、貫頭衣をやめて呉服（中国の南北朝時代に呉の地方から伝わった服＝今の「和服」）へと、皆が切り替えた古墳時代の再現である。平安時代に伝来した味噌は、日本食の調理法を一新し、江戸時代に醬油という派生物まで産んだ。そのように食文化に柔軟だからこそ、「本当においしいイタリアンだの中華料理だのの店は日本にある」というようなことが、まことしやかに言われるわけだ。

男尊女卑の風潮もゆっくりゆっくり改められつつあるが、そもそも考えれば日本の歴史で最初に史書に名を遺した権力者は女王卑弥呼であり、神話上で一番偉い神様は女神の天照大神、国づくりもイザナギ・イザナミの男女共同参画によってなされたのである。最初の小説家は紫式部で、国字であるひらがなを生んだのも女性だ。夫婦別姓を拒む〝保守〟の人がいるが、源頼朝と北条政子が夫婦だったと教科書で習った時点で、そもそも別姓の方が伝統であったことに気づかねばならない。江戸時代から戦後にかけての一律の男社会化は、どう考えても伝統から逸脱し過ぎであり、実際にも、女性リーダーを忌避するというような考え方は、だからこそ世代が若いほど先祖返りして薄れている。

そのように考える筆者は、コロナ騒動をきっかけに、たとえばインバウンド観光の再活性化、地方分権、経済機能の地方分散、女性のリーダー層への進出拡大、手に職を付ける教育の復権といった、実は〝伝統回帰的〟な現象が強まることもあるのではないかと、若干の期待をかけている。中央政府の機能不全が繰り返し露呈しているのも、伝統回帰と考えれば納得が行くのだ。

政府のやること成すことが外れても誰も何とも思わなくなっているという点で、コロナ後の世相は応仁の乱の後の政治空洞化の時期を思わせるものがある。当時の将軍・足利義政は、絶対権力者だった義満の孫であり、強権で政敵をなぎ倒した義教の子なので、最初は能力を期待されていただろう。だが重臣たちが妻や実弟を巻き込んで繰り広げた内輪もめをまったく収められず、別荘造営と芸事に日夜うつつを抜かした。にもかかわらず命も地位も奪われず、それどころか幕府そのものもその後一〇〇年以上も存続したのである。後継の将軍にはさらに実権がなく、都への納税は止まり、全国に無数の武装勢力が割拠したにもかかわらず、信長がやむを得ず将軍・足利義昭を追放するまで、誰も機能しない幕府の体制を敢えて変革しようとはしなかったわけだ。だがそれが、むしろ日本の伝統なのではなかったか。

戦国時代の日本では、中央政治への期待が消えた中で、都では縮小均衡の政治闘争が続き、地方は勝手に経済発展し、にもかかわらず日本に見切りをつけて独立する勢力はどの地方にも現れず、来航した西洋人も中央政府の欠けたこの国から結局寸土も奪うことができなかった。そうした時期を経て成立した織豊政権は強権を振るい、日本の伝統に大きく反した対外侵略まででしたのだが、その失敗を教訓とした江戸幕府は再び地方分権の体制を取り、将軍が誰であっても何をしてもしなくても、世の大勢に影響を与えない状況を現出したのである。

明治憲法制定以降の政党政治の下でも、機能する内閣もあったが機能しない内閣の方が多く、国の経済は大筋で、政策とは無縁に生産年齢人口に連動して消長した。外交、内政、あらゆる場面で〝やったふり〟をし続けた安倍内閣は、「機能する政府」という日本の伝統に反する存在の登場に淡い期待を抱く大衆の消極的支持により、日本憲政史上例外的に長期の任期を与えられたが、露骨な縁故者優先を重ねた末、コロナへの油断と無策で大方の顰蹙を買いつつある。だがここに至っての心強い味方は、政治に何も期待しないという伝統への回帰の動きだ。回帰者たちが「首相はひどいが、代わりもいない」という思考停止ワードを連発してくれる間は、命脈が保てる。

つまり中央政府が、無能なリーダーを据えて機能しないのは、日本ではむしろ歴史的な常態であり、誰も期待していないがゆえに、いくら機能不全でもよほどの危機でない限り倒されることもない。しかし中央政府が弱くても日本そのものが一体性を失うわけではなく、織豊政権以外にも明治維新がそうだったが、むしろ地方発祥の勢力が中央を席捲することが、国全体の革新を促進したりする。変な話、中央の無能なリーダーを放置しつつ、自分の生活に直結する身近なところではもう少しまともな人物を見分けて選ぶ、そういう伝統がこの国にはあるのではないか。そしてコロナ禍の少し前から、東日本震災、いや阪神淡路震災あたりから、そういう伝統の復活の兆しが、筆者には感じられていたのだ。安倍政権に対するオルターナティブも、本来は人格・識見・テイストにおいて格段に優れた宰相の登場であるべきなのだろうが、実際には中央政府の威信のさらなる低下と、自治体首長への期待の上昇になってしまうかもしれない。しかしそうなってしまったらそれはそれで仕方ないことなのかもしれないのだ。

## コロナ禍でグローバル化のどこを見直すべきなのか?

筆者が先に示した、伝統回帰の例の中には、〝世間の共有するイメージ〟に沿うものもあれば、反するようなものもあるだろう。特に大方の異論をくらいそうなのは、「インバウンド活性化こそ日本の伝統回帰の一つだ」というくだりではないか。「外国と距離を置くことこそ日本の伝統であり、ウイルスを持ち込んで国難を招いたのは中国人観光客だ。再び外国人観光客を増やすなど論外ではないか」というわけである。

だがそうした論者に問いたい。古くは宣教師ルイス・フロイスから小泉八雲、「菊と刀」のルース・ベネディクトまで、日本ではなぜ外国人の書いた日本人論が珍重されるのか。なぜ外国人が日本を探訪するテレビ番組が流行るのか。世界が日本をどう見ているかを、たいへんに気にする国民性があるからだ。多少なりとも似た国に韓国があるが、世界のほとんどはそうではない。米国人やロシア人は恐ろしいほど世界からの眼に鈍感だ。インド人や中国人やアラブ人に至っては、そもそも他国の存在自体を意識していないようにも見える。欧州の国もそれぞれ自分が一番であり、「ご意見無用」の態度を取る。彼らに比べ日本人のマインドが、いかに世界からの評価に対して開かれていることか。世界に褒められることが、これほど好きな国民はいない。日本製品が褒められるのもいいが、自分の地域までわざわざやってきた外国人が、地域を褒めちぎって帰って行き、またやってくる、これほどの快感もないのである。インバウンド観光は、日本人の血肉に根差した快感のツボを刺激する、伝統のお家芸なのだ。

他方で、外国人から見た日本は、景色の美しい、食べ物のおいしい、人間は大人しめだが真面目で、旅して安全な国である。これまた戦国時代の宣教師から昨年の史上最高数を記録した訪日客に至るまで、評価に変化はない。旅行者だけではない。筆者が南米エクアドルの首都キトの郊外の涼しい山の上で出会った現地女性は、酷暑で有名な岐阜県多治見市で、陶磁器工場の肉体労働に従事していた経験を、「日本は安全で、人は親切だった。また働きに行きたい」と語っていた。ウズベキスタンのサマルカンドの街頭で、「日本人ですか？　懐かしいです」と声をかけてきた男性は、群馬県の工場で不法就労していて送還されてしまったそうなのだが、「スーパー銭湯とバイキングレストランの楽しさは忘れ難い」と繰り返した。彼らが全員の代表者ではないだろうが、低賃金労働者だった人にも懐かしんでもらえるような国柄というのは誇らしいし、ぜひ守っていきたいと多くの日本人が感じるだろう。

外国人観光客がウイルスをもたらしたというのも、正しいようで本質を突いていない。国立感染症研究所が二〇二〇年四月二七日にホームページで発表した論文に明らかだが、中国人観光客が日本に持ち込んだウイルス第一波は、二月中に保健所主導のクラスター対策によって制圧されていた。しかし欧米では、ウイルスが低賃金移民労働者の居住地区に侵入して、三密の居住環境の中で感染拡大して変異。それが三月になってからの欧米から日本への帰国者により持ち込まれ、第二波として一定程度まで感染拡大したのである。

外国人観光客は、ノロウイルスなどの感染症の対策の施された宿泊施設や飲食施設を利用するため、その体内に潜んでいるかもしれないウイルスに、仲間内以外の他人への感染の機会は乏しい。しかし帰国者が持ち込んだウイルスは、自宅や職場で長時間接触する家族や同僚に感染した。欧米の惨状も、不衛生な居住環境に住まう低所得者の多さが仇となったのであり、対して日韓台や豪州などが感染拡大を防げたのは、そのような不衛生な地区が国内に存在しないということも大きかった。パンデミックをきっかけにグローバル化が見直されるとすれば、何よりも、外国人労働者を低賃金の下層階級として使役し、彼らが〝三密〟で集住する地区が生まれる経済体制こそが正されるべきである。逆に外国人が顧客としてお金を払いに来てくれる経済体制を、忌避すべき理由はない。

ただしインバウンド観光は、今回のようなパンデミックや、大地震などの天災、テロリズム、戦争などに大きく影響を受ける。ビジネス用語でいえば「ボラティリティが高い」(売り上げが〝蒸発〟しやすい)。二〇一九年までに全国で発達した関連サービスは、今回壊滅的な打撃を被った。この教訓は、インバウンド対応から撤退すべきということでなく、非常時に備えてより収益性の高いビジネスモデルを取っておくべきだったということだ。低単価で客数を増やそうとするのではなく、少ない客に高単価できちんとしたサービスを提供するということである。

日本人の性格、外国人から見た日本の魅力、そのどちらから見ても、インバウンドの客数は落ちても落ちても復活するのが必至だ。特にこの春から夏に来日を計画していてあきらめた人の、日本ロスの気持ちは大きく、彼らは早晩それを埋め合わせようとするだろう。政府の不作為あるいは無能にもかかわらず国内で感染が拡大しなかったことも、「安全な日本」というブランドを高めている。であればこそ、無理に元の客数に戻そうとせず、少な目の相手にもっとじっくり向き合う体制を工夫することが、特に日本各地の着地型の事業者にとっては重要となる。

## コロナ禍は経済の東京一極集中見直しの契機となるか?

他方で筆者がよく問われるのは、「コロナ禍をきっかけに若者の地方移住や、ビジネスの地方移転は進みませんかね」という質問だ。これについて答えるなら、「コロナ禍がなくてもとっくに進んでいるべきものが、これまであまり進んでいないように見えるのはなぜか。その原因を取り払うことができなければ、今回も東京集中の傾向は変えられない」ということになる。言い換えれば、これをきっかけに東京集中の根本原因を、取り払うのは無理でもせめて弱めることができれば、若者の地方移住や、ビジネスの地方移転は今度こそ進むということになるのだが。

それではその根本原因とは何か。何度も触れてきた〝世間の共有するイメージ〟だ。「東京でなくてはいい仕事はない」、「田舎には何もない」、「田舎の人になって自分の可能性を閉ざしてはいけない」、「世界に通用するには東京でいい教育をうけなくてはいけない」などなど。いずれも大昔から惰性で続く、まったくのイメージであって、二一世紀の今では実態がない。「いや現実がそうなっている」という人は、そもそも東京か地方かどちらかでしか仕事をしたことがなく、そしてほとんどの場合世界も知らずに、聞きかじりを語っているのではないか。東京と地方を両方知っていれば、田舎に住んでいたがゆえに可能性が閉ざされたと言っているような人は、東京にいても可能性を発揮できなかっただろう、とわかるはずである。世界を知っていれば、東京という甚大な天災リスクを抱えた大都会に機能を集中させることの危険を、認知できないはずはないのである。

今回のコロナ禍でも、欧米に比べればはるかに安全だったとはいえ、東京での死亡者数水準は国内のほとんどの場所より何倍から何十倍も高かった。人口密度の異常な高さが、通勤はもとよりオフィス内でも日常生活でも、〝三密〟に遭遇する可能性を不可避に高めているのである。東日本震災の後に起きた物資不足や計画停電を、幸い長くは続かなかったもののもっと心に刻んでおけば、密度も少しは下がっていたのかもしれない。

しかし震災後に起きたのは皮肉にも、バブル期を上回る、高度成長期以来の勢いでの若者の東京流入だった。東京から地方に移住する若者の流れも確実に太くなったのだが、地方から上京する若者がそれ以上に急増したのである。地方在住者は、震災当時の放射能騒ぎも計画停電も経験しなかったゆえに、「東京に行かなくてはだめだ」という旧態依然の〝イメージ〟に支配され続けており、少子化で人手不足、学生不足の甚だしい首都圏の企業や大学が、ここぞとばかりにそのイメージを梃子にして若者を呼び込んだのだ。

それにしても、二〇二〇年の四月から東京で新生活をスタートさせようとしていた大学一年生や新入社員にとって、自宅待機を余儀なくされたスタートの二カ月ほど、間の抜けた時間はなかっただろう。彼らはその間に何を思ったのだろうか。パソコン画面経由で授業や仕事が済むなら、何も満員電車に乗る必要はない。リモートでは済まない部分があるにしても、毎日家を出てから帰宅するまで、〝三密〟にさらされ続けなければならない東京での生活は、人生において避けられないことなのだろうか。これを我慢しなければ人生において〝損〟をするのだろうか。狭い家に住んで、高い家賃を払い、満員電車で通勤しなければならないこと自体が〝損〟ではないのか。

現在米国の大リーグで活躍している代表的な日本人を三名挙げるなら、ダルビッシュ有、田中将大、大谷翔平ということになるが、彼らはいずれも東京に住んだことがない。世界でも前例のほぼない二刀流に挑んでいる大谷の場合、岩手県奥州市で育ち、花巻市で高校に行き、札幌市でプロ選手になった。そのキャリアの中でもし、いわゆる都会の名門高校、名門大学、伝統球団と言われるようなところを経由していたなら、投手か打者かいずれかに専念するように、必ずや伝統的な指導をされていただろう。地方で育ったからこそ型にはめられず、世界に飛翔することができたのである。「巨人でなくてはプロ球団ではない」というような時代が、仮にあったとしても何十年も前の話だ。実はもはやビジネスの世界も同じで、東京の大企業を経由することは必要でも不可欠でもない。

今回オンラインでの業務をやってみた企業人は気付いたと思うが、オフラインで同じ場を共にすることが重要な場面というのは確かにある。新人教育やチームワーク強化のための交流などはその典型だ。だがすべきことがはっきりしたデスクワークであれば、オンラインの方がはかどるしストレスも少ない。会議も、アジェンダが明快であるほど、オンラインの方が時間効率がいい。これまでの仕事には、タスクが不明確なままに単に場を共有していただけの時間があまりに多かった。場にいるだけで、何一つ結果に貢献せずに給料をもらっている人も生息できた。しかし今後はその無駄は切り落とし、たとえば週に数日だけ午後になって打ち合わせや交流に出勤しつつ、後は郊外なり地方なりにいる勤務形態も可能にしていいのではないか。自宅にいるのが息苦しければ、カフェやシェアオフィスなどの、いわゆる「サードプレイス」も使える。田舎に住んで副業に畑仕事や大工仕事でもした方が、住居費や食費は安いし、一生使えるノウハウも身につく。

とはいえ筆者は、大企業自体が自己変革することには、あまり期待していない。そうできない大企業を飛び出して、お金の代わりに時間と空間と自己決定権を手に入れる若者の増えることには期待している。恐竜から哺乳類への地上の主役の交代も、恐竜が自ら小さくなったのではなく滅びたことでもたらされた。ただし翼を持つ鳥類に進化し、生き延びた種もあった。幕末に「次代のリーダー」と目された大名や高級武士で、西南戦争以降に権力の座に残っていた者はいなかった。ただし文化人として名を残した人はいる。このように変化は、過去に過剰適応して大きくなり過ぎた者の淘汰を伴って起きる。日本の場合には、世代交代をもってしか変化が完結しないことも多い。コロナ禍は、過去に起きた震災や、これからも起きるであろう天災とともに、〝世間のイメージ〟の支配を脱し事実に目覚める次世代を少しずつ増やしていくステップの一つに過ぎないのだと、筆者は考えている。

これからの日本は、いや過去から既にそうであったのかもしれないが今後ますます、地方の自然の中で育った若者が、そのまま世界と日本を往復しながら活躍して行く時代になるだろう。東京生まれであっても、人生のどこかのステージで地方生活を経験することが、海外暮らし同様に、マイナスどころか大きな肥やしになる。東京という袋小路から抜け出せない者たちが、東京の内部だけで通用する評価基準に縛られて窮屈な人生を送っていくのを横目に、自分の故郷と自分の考えをしっかり持って、他人では取って代われない人生、自分だけのかけがえのない人生を目指す若者は、コロナの第三波が途上国経由でカムバックしてくるか否かにかかわらず、津々浦々で静かに増えていくことだろう。

もたに　こうすけ　一九六四年山口県生まれ。(株)日本総合研究所調査部主席研究員、(株)日本政策投資銀行地域企画部特別顧問、地域エコノミスト。『デフレの正体』『世界まちかど地政学Next』『里山資本主義』(共著)など。

内橋克人

# コロナ後の新たな社会像を求めて

## 迫る「医療崩壊の日常化」――「日本モデル」の現実

パンデミック（新型コロナウイルスの世界的感染拡大）が猛威を振るうなか、他国に比べ感染率、死亡率ともに低く抑えた日本の事例は「世界の謎」とされる。

安倍晋三首相は、政府のコロナ禍への対応を指して、世界に誇るべき「日本モデル」と呼び、麻生太郎副総理兼財務相は「（他国とは）民度が違う」と自賛した。

二〇二〇年六月初め、参院財政金融委員会で与党議員の一人が「日本は緩やかな統制で感染拡大を抑えることができた。自由を守り続けたのは価値が高い」と水を向けると、麻生氏は即座に答弁している。

「（海外からのやりとりに）「おたくとうちの国とは国民の民度のレベルが違うんだ」って言ってやると、みんな絶句して黙る」

変わらぬ日本自賛論に根拠はあるのか。

一日当たりのコロナ感染者数がピークを迎えたころ、深く憂慮されたのは、日本でもまた「医療崩壊」の危機そのものであった。東京はじめ都市部で急増するコロナ感染者を収容し、緊急治療に当たるべき病院のベッド数が逼迫していたのだ。現実は危うげな「綱渡り」に近い状況であった。

ばかりではない。PCR検査を介して陰性、陽性の識別を渇望する、切羽詰まった市民が真っ先に駆け込む「保健所」の能力も瀬戸際だった。保健所はスタッフの人数も含めて「改革」の対象とされ、キャパシティは半減に近い窮地に追い込まれていたのだ。

保健所の削減だけではない。コロナ禍に見舞われる直前まで、安倍政権が目指していたのは「地域医療構想」という名の医療「改革」であった。厚労省が主導し、都道府県が実行の任に当たる。

整理・統合すべき医療機関として名指しされたのは全国四四〇にものぼる公立・公的病院である。その多くが赤字経営に陥っていた。自治体財政の逼迫要因とみなされ、かくて、それら病院は二〇二五年までに合計五万床を超えるベッドを削減しなければならず、代えて在宅医療、リハビリ向け病床へと転換を迫られていた。

膨張を続ける医療費の抑制が狙いであり、すでに成立済みの「医療介護総合確保推進法」に基づく。地域住民にとり「医療崩壊の日常化」、すなわち市民にとって真の「緊急事態」が目の前の現実となる日が、すでにスケジュール化されていたのだ。

「日本モデル」「高い民度」などの自賛論の足元で、絶えざる「医療崩壊」への警鐘は鳴り続けている。世界の「モデル」を自称する日本の紛れもない現実である。

## コロナ対応——際立つ日独の違い

欧州各国が感染爆発に見舞われ、未曽有の混乱に巻き込まれるなか、比較的冷静な対応をとり続けたのがドイツであった。

八年を遡る。すでに二〇一二年末、ドイツ政府は「防災計画のためのリスク分析報告」なるレポートをまとめ、連邦議会に提出していた。作業に当たったのはロベルト・コッホ研究所(国立感染症研究機関)である。連邦防災局主導のもと、自然災害、無差別テロなどを想定し、それら「未知なる危機」に対応するためのリスク分析、そして被害を最小限に食い止めるのに必要な具体策まで盛り込んでいる。

同報告書の特徴は「最悪事態シナリオ」が前提とされていたところにある。

今回のコロナ禍にどう生かされたか。第一に人命救助・治癒に至る素早さ(効果的・効率的)

を挙げねばならない。第二に、他国（イタリア、フランスなど）からも患者を受け入れ、パンデミック抑制めざして力を尽くした。そして第三に、何よりもコロナ禍への対応過程で、メルケル首相への国民の信頼度が着実に高くなっていった事実を挙げなければならない。直接、国民に向けたスピーチが高い評価を呼んだ。

対して「日本モデル」はどうだったのか。

今から一〇年前、すなわち「新型インフルエンザ」流行時、その直後の二〇一〇年、厚労省の総括会議が数々の問題提起を積み重ねつつまとめた「感染症提言」が、以後、そのままに放置され、全く生かされることなく今日のコロナ禍に至った、という。経緯の詳細を東京新聞が報じている（二〇二〇年六月二一日）。

今回のコロナ禍に至る一〇年もの間、放置されていた「提言」には、感染症対策に当たるさまざまな組織と人材の「強化」の重要性が指摘されていた。国立感染症研究所（感染研）、検疫所、さらに保健所などである。問題の「ＰＣＲ検査体制」強化の必要性も明記されていた。皮肉なことに、感染症に対して政府はどう対応したか、意思決定の過程から実際の記録まで、可能な限り公開する重要性も指摘された。

この間、政府がとってきたのは正反対の対応である。たとえば保健所。実際に進められたのは「改革」の名を借りた整理・縮減であり、経緯はすでに述べたところだ。

同紙によれば、感染研では新規採用が抑制され、たとえば二〇一九年度の研究者の人数は削減され、今回のコロナ対応では「政府の専門家会議は各メンバーの詳しい発言内容を記録する議事録を作成していない」と指摘している。

常に「最悪シナリオ」を前提にまとめられたドイツの「リスク分析報告」との落差は余りに大きい。「日本モデル」（安倍晋三首相）、「民度のレベル」（麻生太郎副総理兼財務相）は世界に通用するだろうか。

## 新次元の「グリーン・リカバリー」へ舵を切る欧州

突然のコロナ禍に襲われた国ぐにと地域社会はいかにして「かつての日常」を取り戻すか——懸命の努力が重ねられている。

だが、いま欧州を中心に湧き起こっているのは、過ぎ去った過去を取り戻す、すなわち単なる「復元」を希求する運動とは大きく次元が異なる。高く掲げられているのは「グリーン・リカバリー」の旗であり、過去とは違う「新たな日常」が描かれ、目標地点に至るまでの詳細なロードマップまで提示されている。単なる緑、すなわち自然環境の復元、復興を意味するものではない。学ぶべきは、この言葉が「人間生存の新たな空間づくり」の意をこめた「象徴語」として掲げられていることだろう。

これまで往々にして切り離して唱えられてきた①「気候危機」への対応、②「脱・炭素社会」の実現、③「地域循環型経済」(サーキュラーエコノミー)の創造、④金融・社会政策の正当性追求――など、いわば全人類的課題の全てを包摂する。

もろもろの社会的インフラ、建造物ひとつまで、「再生可能エネルギー化」「グリーン化」を実現しつつ推進していくべき、とし、それぞれ切り離して存在するテーマではない、と宣言している。必要な「復興基金」についても、すでに欧州委員会が具体案を提示し、近く開かれる「EU首脳会議」で正式決定されるだろう。フランス、ドイツなどは各五〇〇〇億ユーロ規模の「(コロナ禍からの)復興基金」を提唱しており、業種別の「グリーン・リカバリー・ロードマップ」の策定も加速している。

ひと言でいえば、単なる復興ではなく、コロナ禍という災害からの脱出と、新たな社会の創造、すなわち新次元の政治・経済社会の構築――の二つを同時並行的に追求していくべき、とする強い意思表明がなされている。

むろん、コロナ禍に襲われる以前から欧州委員会では「欧州グリーンディール」と呼ぶ理念を掲げてきた。繰り返しになるが、いまヨーロッパ諸国は、今回の凄惨なコロナ禍を奇貨として、それら全てを包摂する新たな金融・社会・地域(都市づくりを含む)概念、さらに理念と政策を、同時に現実のものとするべく試み、実践に移しつつあるのだ。

欧州「生まれ変わり」への強い意思表示と受けとめるべきではないか。

## 広がる「ダイベストメント」運動

いま「ダイベストメント」運動が世界的な高まりをみせている。ダイベストメントとは、大小を問わず、特定企業の株式を売り放す行為を指す。どのような企業の株式を手放すべき、と唱えているのか。たとえば化石燃料、とりわけ石炭産業・企業、火力発電所などにかかわる企業の株式である。「化石燃料ダイベストメント」、あるいは「石炭ダイベストメント」とも呼ばれる。

当該企業の株式売却を機関投資家らに呼びかけるにとどまらず、融資を行っている金融機関に対しても、融資行為の停止、さらには株式・社債の保有もストップし資金を引き揚げるよう、激しく迫る。ラディカルにして、かつ本源的な市民運動である。

いうまでもない、進む地球温暖化、迫る気候危機に対して石炭火力発電はじめ関連企業は「加害者」「加担者」と認定されるからだ。険しい認識に立って、金融機関をも、それら産業・企業に対する新規融資はむろんのこと、現在の株式・債券の保有も含めて「社会的断罪」の対象とする。

こうしてヨーロッパ各国は当該企業自ら対応の実行段階へと歩を進めた。関連の子会社を他の資本に売却し、撤退するなどの事例が相次いでいる。石炭火力発電は、自社の企業活動に向けられる社会的評価、社会的価値観の水準を激しく低落させる――苛烈な自己認識が底流となった。その有り様と経緯が、当該企業の経営者、従業員らの目に危機感をもって受け止められている。市民によってなされる弾劾の生々しい光景まで可視化されているからだ。

日本でもまた「ダイベストメント」を叫ぶ運動が立ち上がった。金融機関、メガバンクに対して株主総会などを機に激しく警鐘を鳴らす。が、しかし、当の石炭火力発電を担う著名大企業、それら経営者、さらには政府、行政に至るまで、いまだ行動は弱々しい。日本の石炭火力発電はなお全発電量の三〇％以上を占めたまま推移している。

三大メガバンクのうち、「ダイベストメント」方針を明快に打ち出したのは一グループにとどまる。つい先頃まで、国際ルールに逆行する行為が平然とまかり通った。途上国への石炭火力輸出計画がストップされた事例は存在しない。石炭火力発電はいまだ「ベースロード電源」と位置づけられたままだ。「化石賞」受賞のゆえんである。

以上、石炭火力発電の「ダイベストメント」についてやや子細に論及した。ほかでもない、次に述べる「コロナ後のあるべき社会像」として、かねて筆者が力説してきた「FEC自給圏の形成」へと論を進めるためである。「生産条件」優位型社会から「生存条件」優位型社会への転換――目指すべき「コロナ後の新たな社会像」の一例を以下に示すことをもって締め括りとしなければならない。

## 「生存条件」優位型社会へ

以上、ラディカルな社会転換めざしてロードマップを描き、一歩を踏み出すほかに選択肢のない時代、すなわちラディカルな「社会転換」を果たすべき時を迎えた。その現実の一端について述べてきたものだ。

言葉を換えていえば、産業革命以降の「生産条件」優位型社会から、ホモサピエンス（人類）にとっての「生存条件」優位型社会へと転換をはかる——鋭い問題意識と実践への勇気が求められる。その時が迫っている。コロナ禍という大災厄が私たちの時代認識を劇的に切り替える契機となった。求めるべき「新たな社会」の仕組みとして、筆者はかねて「FEC自給圏」の形成を、と訴えてきている。この機に再び声を挙げたい。

「FEC自給圏」とは、まずFood（食と農）、次いでEnergy（エネルギー）、そしてCare（介護、医療、福祉、人間関係の全て）の三要素を「産業間連鎖」として、一定の地域ごとに築いていく。こうすることでAという産業の廃棄物はBという産業の原料となり、Bという産業の廃棄物はさらにCという産業の原料となる……。循環する「自給圏」の形成によって、社会的必要労働は満たされ、人びとの生き甲斐と働き甲斐が、働く者の「孤立」でなく、真の「自立労働」として成立する。

「グローバル化追随」を「改革」という言葉にスリ替え、本来、国家として整備しておくべき強靱な防波堤を自らの手でせっせと内側から切り崩してきた。それが歴代政権の置き土産であり、構造改革を叫び続けた過去の政権の正体であった。そして何よりも安倍政権がその極地を行く。コロナ禍が暴き出した「不均衡国家」の現実を凝視すべき時がきているのだ。

第一に「労働の解体」がコロナ禍を機に噴き出した。働く者の間に正規雇用と非正規雇用という「差別の制度化」はいっそう強められた。後者を解体して「コンチンジェント・ワーカー」(最末端の組織なき日雇い労働)へと突き落とす。著名な学究者たち、さまざまな政府諮問会議などに蝟集《いしゅう》した面々が、時の政権と財界の意向を体現しつつ、大切な「防波堤」を潰し、道を掃き清めた。

第二に、「均衡ある国土の発展という理念の放棄」を挙げておかなければならない。「大都市集中、何が悪い!」派が政治の中枢部を占拠し、官邸独裁を強行した。各種の「私的懇談会」「諮問会議」なるものが乱造され、時に「自治体間市場競争」なる迷文句までひねり出された。中央と地方との格差拡大は促進され、それでもなお彼らは「格差ある社会は活力ある社会」とのレトリックを唱え続けた。

第三に、「所得移転の構造化」である。家計部門から金融・企業部門へと移転された所得は、長いゼロ金利時代に壮大な規模に達した。本来、家計が「得べかりし所得」は多く他のセクターへと移転され、消えてしまった。労働分配率の実質的な引き下げ、所得再分配政策の放棄、そして社会保障体系の実質的な削ぎ落とし、へと続く。

こうしてグローバルズ(日本型多国籍企業)に政策支援は集中し、ローカルズ(地域密着企業)との間に天文学的格差を生む結果がもたらされている。

以上、三つの「構造問題」はコロナ禍を経て、なおも日を追って深化し続けている。

「世界の謎」は消えていない。が、しかし、「日本モデル」「民度のレベル(ママ)」(民度=レベルではないのか!)なる「自賛論」は世界から「嘲り」の対象とされたまま消えることはないだろう。それらを含めてコロナ禍が暴き出した社会的受難の歴史に、私たちは真正面から向き合うことを迫られている。

うちはし かつと　一九三二年生まれ。経済評論家。『共生の大地――新しい経済がはじまる』『新版 匠の時代(1~6)』『荒野渺茫(第Ⅰ部・第Ⅱ部)』『始まっている未来――新しい経済学は可能か』(共著)ほか。

マーガレット・アトウッド

## 堀を飛び越える

馬を駆って城に向かう一人の騎士。まさに到着という時、城門の橋が上がり始め、白馬は堀を飛び越えようと見事な跳躍をする。そんな映画のシーンを覚えていないだろうか？　私にはありありと浮かぶのだが、インターネットで調べて見つかったのは、自動車が跳ね橋を飛び越して川の上をふわりと飛んだり、ピンクパンサー〔一九六〇年代から多数製作されている、パリ警察クルーゾー警部が主役のコメディ映画シリーズ〕の警部が堀を越えるのに失敗して泥水でもがいたりする映像だけだった。

映画の記憶はともかく、今の私たちは間違いなくその白馬の騎手である。恐るべきコロナウィルスに追われ、堀の上を飛びながら、無事に向こう岸に着地することを願う。向こうでは生活も正常——少なくとも私たちには正常に思えるということだが——に戻っているはず。それでは、今この時から対岸に着地するまでの間、空中で何をすればよいのだろうか？

堀を飛び越えた先にある未来という城。その城内に今までどおり存在してほしいものは何か、余すところなく考えてみよう。そして、望みのものを未来に確実に残すため、今できることをしよう。

医療従事者については説明するまでもないだろう。皆で彼らを支えなくてはならない。誰もが医療制度を未来城に残したいはずだ。では健康な時、友人や家族はさておき、人生を意味あるものにしていたのは何だっただろうか？　私たち一人一人にそんなかけがえのないもののリストがある。私のリストを一部ご紹介しよう。

お気に入りのレストランやカフェ。こういう楽しい場所が変わらずそこにあり、気が向けばいつでも利用できる──これを当然と考えていたこと自体、今では不思議に思える。好きな店、大切な店が堀の上を飛び越えられるよう、テイクアウトを注文したり、ギフトクーポンを買ったりして支援しよう。どの店がどんなサービスを提供しているか、オンラインでかなりの情報が見つかる。

近所の書店。カーブサイド・ピックアップ〔店舗の外での商品引き渡し〕をする店、配達してくれる店、通信販売を受け付ける店など、サービスはさまざま。そうやって書店には営業を続けてもらおう！　同じく書物に関わる出版社や作家──とりわけ春の刊行が中止になった書籍の関係者──にも支援が必要だ。ツイッターやポッドキャストでの新刊情報発信、多彩なヴァーチャルイヴェント等々、この危機を乗り切るための斬新なアイディアが続々と生まれている。

「読者」や「作家」それぞれを総称する際に「コミュニティ」という表現をよく耳にするが、必ずしも実態を正確に表していない――数多くあるグループや団体がすべて友好的な関係にあるわけではないのだ。それでも、現実を「コミュニティ」本来の意味に近づけることはできる。私が二五歳の頃、カナダ出版界では人材も資金も乏しく、作家や出版社が支え合うのは自明のことだった。気の合わない人たちもいたが、現実にはほぼ全員が助け合っていた(これも「コミュニティ」ならではのこと。田舎町の出身者に聞いてみるとよい。いつもは敵同士でも、まさかの時には助け合う。イヤなやつかもしれないが、それでも地元のイヤなやつだから、というわけだ。わかるでしょ?)。

信頼できる新聞や雑誌。民主主義はどんどん追い詰められている。というのも、独裁的な政権にとって危機の時代ほど、市民の自由や民主的社会の自由、基本的人権を投げ捨てるのに都合のよいときはないからだ。自由や権利をないがしろにすることは、往々にして全体主義的な情報の遮断と議論の封殺へと道筋をつけることになる。だからこそ、情報の流れを確保し、その独立性を維持することはきわめて重要だ。誰かに定期購読をプレゼントしよう。フェイクニュースと戦うウェブサイトや、PENアメリカなど、責任ある言論の自由のために活動する団体を支援しよう。公共ラジオ局に寄付をしよう。自分のSNSアカウントでこうしたニュースメディアを紹介し、いわば無償の広告活動で支援することも可能だ。ウィルスが言論を封じるようなことがあってはならない。

芸術文化団体や施設。ジャンルは問わない。アートは人間をあらゆる次元でとらえて表現する。アートによって、私たちは人間の本質を深く探り、魂の高みに昇り、人間を人間たらしめるものすべてに触れることができる。演劇、音楽、舞踊、芸術祭、美術館——どこも公演や展示が中止になったため、等しく苦しんでいる。寄付をしよう。アート・ギフト券やオンライン・イヴェントのチケットを買おう。結局のところ、アートは観客なしには成立しない。そして、あなたはその観客になれるのだ。

私たちの星、地球。みんなが生きる星。簡単に言えば、海を殺すと、酸素の供給が止まるということ。パンデミック下で、温室効果ガス排出量や環境汚染がかなり低減したという報告が数多く出ている。これを未来城の新しい現実にするために、私たちはライフスタイルを変えるのだろうか? エネルギーや食料をより賢明な方法で入手するようになるのだろうか? あるいは、これまで通りのライフスタイルを続けるのか? 一つか二つ、あるいはもっと多くの環境団体を選んで寄付をしよう。今こそ地球環境をよくするチャンスだ。

最後に。気を強く持ち、希望を捨てないこと。堀は飛び越えられる! たしかに私たちは今、恐ろしく、そして不快な時間を過ごしている。多くの人が亡くなり、あるいは仕事を失っている。危なっかしいながらも、何とか自分の人生を支配しているというこれまでの感覚すら失いつつある。けれども、今のあなたが病気にかかっていないのなら――幼い子どもを抱え、家族の心配で頭がいっぱいだとしても――実際のところ、かなり恵まれていると言うべきだろう。

今この時を楽しんでよいのだ。ただし、ものごとが「正常」だった時よりも緩やかなペースで。多くの人がこのペース――何を急いでいたのだろう？――を問い直し、これまでとは違う生き方を始めている。

今は最良の時代にして最悪の時代。この時代をどう生きるか、どんな時代にするか、あなた自身が決められる部分は少なくありません。この記事を読んでいるのだから、あなたは生きている。そうですよね。生きていなかったら――驚きで言葉もありません。

（訳＝林はる芽）

＊初出は、米誌『ＴＩＭＥ』二〇二〇年四月二七日／五月四日号

Margaret Atwood　カナダの作家。その作品は世界各国で読まれており、二度のブッカー賞やフランツ・カフカ賞をはじめ、数多くの文学賞を受賞している。『侍女の物語』『昏き目の暗殺者』『またの名をグレイス』『オリクスとクレイク』『洪水の年』『マッドアダム』ほか多数。

村上陽一郎

1936年生まれ.
東京大学名誉教授・国際基督教大学名誉教授.
科学思想史・科学哲学専攻.
著書−『ペスト大流行——ヨーロッパ中世の崩壊』(岩波新書, 1983年)
『安全学』(青土社, 1998年)
『科学史からキリスト教をみる』(創文社, 2003年)
『工学の歴史と技術の倫理』(岩波書店, 2006年)
『文明の死／文化の再生』(岩波書店, 2006年)
『人間にとって科学とは何か』(新潮選書, 2010年)
『科学の本一〇〇冊』(河出書房新社, 2015年)
『死ねない時代の哲学』(文春新書, 2020年) ほか

コロナ後の世界を生きる
——私たちの提言　　岩波新書(新赤版)1840

2020年7月17日　第1刷発行
2020年10月5日　第5刷発行

編　者　村上陽一郎《むらかみよういちろう》

発行者　岡本　厚

発行所　株式会社　岩波書店
〒101-8002 東京都千代田区一ツ橋2-5-5
案内 03-5210-4000　営業部 03-5210-4111
https://www.iwanami.co.jp/

新書編集部 03-5210-4054
https://www.iwanami.co.jp/sin/

印刷製本・法令印刷　カバー・半七印刷


ISBN 978-4-00-431840-8　　Printed in Japan

# 岩波新書新赤版一〇〇〇点に際して

ひとつの時代が終わったと言われて久しい。だが、その先にいかなる時代を展望するのか、私たちはその輪郭すら描きえていない。二〇世紀から持ち越した課題の多くは、未だ解決の緒を見つけることのできないままであり、二一世紀が新たに招きよせた問題も少なくない。グローバル資本主義の浸透、憎悪の連鎖、暴力の応酬――世界は混沌として深い不安の只中にある。

現代社会においては変化が常態となり、速さと新しさに絶対的な価値が与えられた。消費社会の深化と情報技術の革命は、種々の境界を無くし、人々の生活やコミュニケーションの様式を根底から変容させてきた。ライフスタイルは多様化し、一面では個人の生き方をそれぞれが選びとる時代が始まっている。同時に、新たな格差が生まれ、様々な次元での亀裂や分断が深まっている。社会や歴史に対する意識が揺らぎ、普遍的な理念に対する根本的な懐疑や、現実を変えることへの無力感がひそかに根を張りつつある。そして生きることに誰もが困難を覚える時代が到来している。

しかし、日常生活のそれぞれの場で、自由と民主主義を獲得し実践することを通じて、私たち自身がそうした閉塞を乗り超え、希望の時代の幕開けを告げてゆくことは不可能ではあるまい。そのために、いま求められていること――それは、個と個の間で開かれた対話を積み重ねながら、人間らしく生きることの条件について一人ひとりが粘り強く思考することではないか。その営みの糧となるものが、教養に外ならないと私たちは考える。歴史とは何か、よく生きるとはいかなることか、世界そして人間はどこへ向かうべきなのか――こうした根源的な問いとの格闘が、文化と知の厚みを作り出し、個人と社会を支える基盤としての教養となった。まさにそのような教養への道案内こそ、岩波新書が創刊以来、追求してきたことである。

岩波新書は、日中戦争下の一九三八年一一月に赤版として創刊された。創刊の辞は、道義の精神に則らない日本の行動を憂慮し、批判的精神と良心的行動の欠如を戒めつつ、現代人の現代的教養を刊行の目的とする、と謳っている。以後、青版、黄版、新赤版と装いを改めながら、合計二五〇〇点余りを世に問うてきた。そして、いままた新赤版が一〇〇〇点を迎えたのを機に、人間の理性と良心への信頼を再確認し、それに裏打ちされた文化を培っていく決意を込めて、新しい装丁のもとに再出発したいと思う。一冊一冊から吹き出す新風が一人でも多くの読者の許に届くこと、そして希望ある時代への想像力を豊かにかき立てることを切に願う。

（二〇〇六年四月）

岩波新書より

## 政治

日米安保体制史　吉次公介
官僚たちのアベノミクス　軽部謙介
在日米軍 変貌する日米安保体制　梅林宏道
憲法改正とは何だろうか　高見勝利
共生保障〈支え合い〉の戦略　宮本太郎
シルバー・デモクラシー 戦後世代の覚悟と責任　寺島実郎
憲法と政治　青井未帆
18歳からの民主主義　岩波新書編集部編
検証 安倍イズム　柿崎明二
右傾化する日本政治　中野晃一
外交ドキュメント 歴史認識　服部龍二
日米〈核〉同盟 原爆、核の傘、フクシマ　太田昌克
集団的自衛権と安全保障　豊下楢彦・古関彰一
日本は戦争をするのか　半田滋
アジア力の世紀　進藤榮一

民族紛争　月村太郎
自治体のエネルギー戦略　大野輝之
政治的思考　杉田敦
現代日本の政党デモクラシー　中北浩爾
サイバー時代の戦争　谷口長世
現代中国の政治　唐亮
日本の国会　大山礼子
戦後政治史〔第三版〕　石川真澄・山口二郎
〈私〉時代のデモクラシー　宇野重規
大臣〔増補版〕　菅直人
生活保障 排除しない社会へ　宮本太郎
「ふるさと」の発想　西川一誠
「戦地」派遣 変わる自衛隊　半田滋
民族とネイション　塩川伸明
昭和天皇　原武史
集団的自衛権とは何か　豊下楢彦
沖縄密約　西山太吉
ルポ改憲潮流　斎藤貴男

吉田茂　原彬久
安心のファシズム　斎藤貴男
市民の政治学　篠原一
東京都政　佐々木信夫
有事法制批判　憲法再生フォーラム編
日本政治 再生の条件　山口二郎編著
安保条約の成立　豊下楢彦
岸信介　原彬久
自由主義の再検討　藤原保信
一九六〇年五月一九日　日高六郎編
日本の政治風土　篠原一
近代の政治思想　福田歓一
日本精神と平和国家　矢内原忠雄

## 岩波新書より

### 法律

治安維持法と共謀罪　内田博文
裁判の非情と人情　原田國男
独占禁止法〔新版〕　村上政博
密着 最高裁のしごと　川名壮志
「法の支配」とは何か 行政法入門　大浜啓吉
会社法入門〔新版〕　神田秀樹
憲法への招待〔新版〕　渋谷秀樹
比較のなかの改憲論　辻村みよ子
大災害と法　津久井進
変革期の地方自治法　兼子仁
原発訴訟　海渡雄一
労働法入門　水町勇一郎
人が人を裁くということ　小坂井敏晶
知的財産法入門　小泉直樹
消費者の権利〔新版〕　正田彬
司法官僚 裁判所の権力者たち　新藤宗幸
名誉毀損　山田隆司

刑法入門　山口厚
家族と法　二宮周平
憲法とは何か　長谷部恭男
良心の自由と子どもたち　西原博史
著作権の考え方　岡本薫
有事法制批判　憲法再生フォーラム編
法とは何か〔新版〕　渡辺洋三
民法のすすめ　星野英一
日本社会と法　渡辺洋三・甲斐道太郎・広渡清吾・小森田秋夫編
日本の憲法〔第三版〕　長谷川正安
憲法と天皇制　横田耕一
自由と国家　樋口陽一
憲法第九条　小林直樹
納税者の権利　北野弘久
小繋事件　戒能通孝
日本人の法意識　川島武宜

### カラー版

カラー版 国芳　岩切友里子
カラー版 知床・北方四島　大泰司紀之・本間浩昭
カラー版 西洋陶磁入門　大平雅巳
カラー版 すばる望遠鏡の宇宙　海部宣男・宮下曉彦写真
カラー版 ベトナム戦争と平和　石川文洋
カラー版 難民キャンプの子どもたち　田沼武能
カラー版 メッカ　野町和嘉
カラー版 シベリア動物誌　福田俊司
カラー版 ハッブル望遠鏡が見た宇宙　野本陽代・R・ウィリアムズ
カラー版 妖怪画談　水木しげる

## 岩波新書より

### 経　済

- 日本の税金〔第3版〕　三木義一
- 金融政策に未来はあるか　岩村　充
- 経済数学入門の入門　田中久稔
- 地元経済を創りなおす　枝廣淳子
- 会計学の誕生　渡邉　泉
- 偽りの経済政策　服部茂幸
- ミクロ経済学入門の入門　坂井豊貴
- 経済学のすすめ　佐和隆光
- ガルブレイス　伊東光晴
- ユーロ危機とギリシャ反乱　田中素香
- ポスト資本主義 科学・人間・社会の未来　広井良典
- タックス・イーター　志賀　櫻
- コーポレート・ガバナンス　花崎正晴
- グローバル経済史入門　杉山伸也
- 新・世界経済入門　西川　潤
- 金融政策入門　湯本雅士
- 日本経済図説〔第四版〕　宮崎　勇／本庄　真／田谷禎三
- 新自由主義の帰結　服部茂幸
- タックス・ヘイブン　志賀　櫻
- ＷＴＯ 貿易自由化を超えて　中川淳司
- 日本財政 転換の指針　井手英策
- 日本の税金〔新版〕　三木義一
- 世界経済図説〔第三版〕　宮崎　勇／田谷禎三
- 成熟社会の経済学　小野善康
- 平成不況の本質　大瀧雅之
- 原発のコスト　大島堅一
- 次世代インターネットの経済学　依田高典
- ユーロ 危機の中の統一通貨　田中素香
- 低炭素経済への道　諸富　徹／浅岡美恵
- 「分かち合い」の経済学　神野直彦
- グリーン資本主義　佐和隆光
- 消費税をどうするか　小此木潔
- 国際金融入門〔新版〕　岩田規久男
- 金融商品とどうつき合うか　新保恵志
- 金融ＮＰＯ　藤井良広
- 地域再生の条件　本間義人
- 経済データの読み方〔新版〕　鈴木正俊
- 格差社会 何が問題なのか　橘木俊詔
- 景気とは何だろうか　山家悠紀夫
- 環境再生と日本経済　三橋規宏
- 社会的共通資本　宇沢弘文
- 景気と国際金融　小野善康
- 経営革命の構造　米倉誠一郎
- ブランド 価値の創造　石井淳蔵
- 景気と経済政策　小野善康
- 戦後の日本経済　橋本寿朗
- 共生の大地 新しい経済がはじまる　内橋克人
- シュンペーター　伊東光晴／根井雅弘
- 経済学の考え方　宇沢弘文
- 経済学とは何だろうか　佐和隆光
- イギリスと日本　森嶋通夫
- 近代経済学の再検討　宇沢弘文

## 岩波新書より

### 社会

サイバーセキュリティ　谷脇康彦
まちづくり都市 金沢　山出保
虚偽自白を読み解く　浜田寿美男
総介護社会　小竹雅子
戦争体験と経営者　立石泰則
住まいで「老活」　安楽玲子
現代社会はどこに向かうか　見田宗介
EVと自動運転 クルマをどう変えるか　鶴原吉郎
ルポ 保育格差　小林美希
津波災害〔増補版〕　河田惠昭
棋士とAI　王銘琬
原子力規制委員会　新藤宗幸
東電原発裁判　添田孝史
日本問答　田中優子・松岡正剛
日本の無戸籍者　井戸まさえ
〈ひとり死〉時代のお葬式とお墓　小谷みどり

町を住みこなす　大月敏雄
親権と子ども　榊原富士子・池田清貴
歩く、見る、聞く 人びとの自然再生　宮内泰介
対話する社会へ　暉峻淑子
悩みいろいろ　金子勝
魚と日本人 食と職の経済学　濱田武士
ルポ 貧困女子　飯島裕子
鳥獣害 動物たちと、どう向きあうか　祖田修
科学者と戦争　池内了
新しい幸福論　橘木俊詔
ブラックバイト 学生が危ない　今野晴貴
原発プロパガンダ　本間龍
ルポ 母子避難　吉田千亜
日本にとって沖縄とは何か　新崎盛暉
日本病 長期衰退のダイナミクス　金子勝・児玉龍彦
雇用身分社会　森岡孝二
生命保険とのつき合い方　出口治明

ルポ にっぽんのごみ　杉本裕明
鈴木さんにも分かるネットの未来　川上量生
地域に希望あり　大江正章
世論調査とは何だろうか　岩本裕
フォト・ストーリー 沖縄の70年　石川文洋
ルポ 保育崩壊　小林美希
多数決を疑う 社会的選択理論とは何か　坂井豊貴
アホウドリを追った日本人　平岡昭利
朝鮮と日本に生きる　金時鐘
被災弱者　岡田広行
農山村は消滅しない　小田切徳美
復興〈災害〉　塩崎賢明
「働くこと」を問い直す　山崎憲
原発と大津波 警告を葬った人々　添田孝史
縮小都市の挑戦　矢作弘
福島原発事故 被災者支援政策の欺瞞　日野行介
日本の年金　駒村康平

## 岩波新書より

- 食と農でつなぐ 福島から　塩谷弘康／岩崎由美子
- 過労自殺〔第二版〕　川人博
- 金沢を歩く　山出保
- ドキュメント 豪雨災害　稲泉連
- ひとり親家庭　赤石千衣子
- 女のからだ フェミニズム以後　荻野美穂
- 〈老いがい〉の時代　天野正子
- 子どもの貧困Ⅱ　阿部彩
- 性と法律　角田由紀子
- 生活保護から考える　稲葉剛
- ヘイト・スピーチとは何か　師岡康子
- かつお節と日本人　宮内泰介／藤林泰
- 家事労働ハラスメント　竹信三恵子
- 福島原発事故 県民健康管理調査の闇　日野行介
- 電気料金はなぜ上がるのか　朝日新聞経済部
- おとなが育つ条件　柏木惠子
- 在日外国人〔第三版〕　田中宏
- まち再生の術語集　延藤安弘

---

- 震災日録 記憶を記録する　森まゆみ
- 原発をつくらせない人びと　山秋真
- 社会人の生き方　暉峻淑子
- 構造災 科学技術社会に潜む危機　松本三和夫
- 家族という意志　芹沢俊介
- ルポ 良心と義務　田中伸尚
- 飯舘村は負けない　千葉悦子／松野光伸
- 夢よりも深い覚醒へ　大澤真幸
- 子どもの声を社会へ　桜井智恵子
- 就職とは何か　森岡孝二
- 日本のデザイン　原研哉
- ポジティヴ・アクション　辻村みよ子
- 脱原子力社会へ　長谷川公一
- 希望は絶望のど真ん中に　むのたけじ
- 福島 原発と人びと　広河隆一
- アスベスト 広がる被害　大島秀利
- 原発を終わらせる　石橋克彦編
- 日本の食糧が危ない　中村靖彦
- 勲章 知られざる素顔　栗原俊雄

---

- 希望のつくり方　玄田有史
- 生き方の不平等　白波瀬佐和子
- 同性愛と異性愛　風間孝／河口和也
- 贅沢の条件　山田登世子
- 新しい労働社会　濱口桂一郎
- 世代間連帯　上野千鶴子／辻元清美
- 道路をどうするか　五十嵐敬喜／小川明雄
- 子どもの貧困　阿部彩
- 子どもへの性的虐待　森田ゆり
- 戦争絶滅へ、人間復活へ　むのたけじ／黒岩比佐子 聞き手
- テレワーク 「未来型労働」の現実　佐藤彰男
- 反貧困　湯浅誠
- 不可能性の時代　大澤真幸
- 地域の力　大江正章
- グアムと日本人 戦争を埋立てた楽園　山口誠
- 少子社会日本　山田昌弘
- 親米と反米　吉見俊哉
- 「悩み」の正体　香山リカ

## 岩波新書より

変えてゆく勇気 上川あや
戦争で死ぬ、ということ 島本慈子
社会学入門 見田宗介
冠婚葬祭のひみつ 斎藤美奈子
壊れる男たち 金子雅臣
少年事件に取り組む 藤原正範
いまどきの「常識」 香山リカ
働きすぎの時代 森岡孝二
桜が創った「日本」 佐藤俊樹
生きる意味 上田紀行
ルポ 戦争協力拒否 吉田敏浩
ウォーター・ビジネス 中村靖彦
男女共同参画の時代 鹿嶋敬
当事者主権 中西正司 上野千鶴子
ルポ 解雇 島本慈子
豊かさの条件 暉峻淑子
人生案内 落合恵子
若者の法則 香山リカ
自白の心理学 浜田寿美男

原発事故はなぜくりかえすのか 高木仁三郎
日本の近代化遺産 伊東孝
証言 水俣病 栗原彬編
コンクリートが危ない 小林一輔
東京国税局査察部 立石勝規
ドキュメント 屠場 鎌田慧
能力主義と企業社会 熊沢誠
沖縄 平和の礎 大田昌秀
現代社会の理論 見田宗介
原発事故を問う 七沢潔
災害救援 野田正彰
命こそ宝 沖縄反戦の心 阿波根昌鴻
スパイの世界 中薗英助
都市開発を考える 大野輝之 レイコ・ハベ・エバンス
ディズニーランドという聖地 能登路雅子
原発はなぜ危険か 田中三彦
豊かさとは何か 暉峻淑子
農の情景 杉浦明平

光に向って咲け 粟津キヨ
異邦人は君ヶ代丸に乗って 金賛汀
読書と社会科学 内田義彦
科学文明に未来はあるか 野坂昭如編著
プルトニウムの恐怖 高木仁三郎
社会科学における人間 大塚久雄
沖縄ノート 大江健三郎
地の底の笑い話 上野英信
この世界の片隅で 山代巴編
音から隔てられて 入谷仙介 林瓢介編
ものいわぬ農民 大牟羅良
民話を生む人々 山代巴
死の灰と闘う科学者 三宅泰雄
米軍と農民 阿波根昌鴻
沖縄からの報告 瀬長亀次郎
暗い谷間の労働運動 大河内一男
ユダヤ人 J-P・サルトル 安堂信也訳
社会認識の歩み 内田義彦
社会科学の方法 大塚久雄

## 現代世界

## 岩波新書より

### 福祉・医療

| | |
|---|---|
| 賢い患者 | 山口育子 |
| ルポ 看護の質 | 小林美希 |
| 健康長寿のための医学 | 井村裕夫 |
| 不眠とうつ病 | 清水徹男 |
| 在宅介護 | 結城康博 |
| 和漢診療学 あたらしい漢方 | 寺澤捷年 |
| 不可能を可能に 点字の世界を駆けぬける | 田中徹二 |
| 医と人間 | 井村裕夫編 |
| 医療の選択 | 桐野高明 |
| 納得の老後 日欧在宅ケア探訪 | 村上紀美子 |
| 移植医療 | 橳島次郎 出河雅彦 |
| 医学的根拠とは何か | 津田敏秀 |
| 転倒予防 | 武藤芳照 |
| 看護の力 | 川嶋みどり |
| 心の病 回復への道 | 野中猛 |
| 重い障害を生きるということ | 髙谷清 |
| 肝臓病 | 渡辺純夫 |
| 感染症と文明 | 山本太郎 |
| ルポ 認知症ケア最前線 | 佐藤幹夫 |
| 医の未来 | 矢﨑義雄編 |
| パンデミックとたたかう | 押谷仁 瀬名秀明 |
| 健康不安社会を生きる | 飯島裕一編著 |
| 介護 現場からの検証 | 結城康博 |
| 腎臓病の話 | 椎貝達夫 |
| がんとどう向き合うか | 額田勲 |
| がん緩和ケア最前線 | 坂井かをり |
| 人はなぜ太るのか | 岡田正彦 |
| 児童虐待 | 川﨑二三彦 |
| 生老病死を支える | 方波見康雄 |
| 医療の値段 | 結城康博 |
| 認知症とは何か | 小澤勲 |
| 障害者とスポーツ | 高橋明 |
| 生体肝移植 | 後藤正治 |
| 放射線と健康 | 舘野之男 |
| 定常型社会 新しい「豊かさ」の構想 | 広井良典 |
| 健康ブームを問う | 飯島裕一編著 |
| 血管の病気 | 田辺達三 |
| 医の現在 | 高久史麿編 |
| 日本の社会保障 | 広井良典 |
| 居住福祉 | 早川和男 |
| 高齢者医療と福祉 | 岡本祐三 |
| 看護 ベッドサイドの光景 | 増田れい子 |
| 医療の倫理 | 星野一正 |
| 体験ルポ 世界の高齢者福祉 | 山井和則 |
| リハビリテーション | 砂原茂一 |
| 指と耳で読む | 本間一夫 |
| 自分たちで生命を守った村 | 菊地武雄 |

## 岩波新書より

### 環境・地球

水の未来　沖大幹
異常気象と地球温暖化　鬼頭昭雄
エネルギーを選びなおす　小澤祥司
欧州のエネルギーシフト　脇阪紀行
グリーン経済最前線　井田徹治／末吉竹二郎
低炭素社会のデザイン　西岡秀三
環境アセスメントとは何か　原科幸彦
生物多様性とは何か　井田徹治
キリマンジャロの雪が消えていく　石弘之
イワシと気候変動　川崎健
森林と人間　石城謙吉
世界森林報告　山田勇
地球の水が危ない　高橋裕
地球環境報告Ⅱ　石弘之
地球温暖化を防ぐ　佐和隆光
地球環境問題とは何か　米本昌平
地球環境報告　石弘之
国土の変貌と水害　高橋裕
水俣病　原田正純

### 情報・メディア

K-POP 新感覚のメディア　金成玫
メディア不信 何が問われているのか　林香里
グローバル・ジャーナリズム　澤康臣
キャスターという仕事　国谷裕子
読んじゃいなよ！　高橋源一郎編
読書と日本人　津野海太郎
スポーツアナウンサー 実況の真髄　山本浩
戦争と検閲 石川達三を読み直す　河原理子
NHK〔新版〕　松田浩
震災と情報　徳田雄洋
メディアと日本人　橋元良明
本は、これから　池澤夏樹編
デジタル社会はなぜ生きにくいか　徳田雄洋
ジャーナリズムの可能性　原寿雄
ITリスクの考え方　佐々木良一
ユビキタスとは何か　坂村健
ウェブ社会をどう生きるか　西垣通
報道被害　梓澤和幸
メディア社会　佐藤卓己
現代の戦争報道　門奈直樹
未来をつくる図書館　菅谷明子
メディア・リテラシー　菅谷明子
職業としての編集者　吉野源三郎
本の中の世界　湯川秀樹
私の読書法　大内兵衛／茅誠司

## 宗教

| | |
|---|---|
| 初期仏教 ブッダの思想をたどる | 馬場紀寿 |
| 内村鑑三 悲しみの使徒 | 若松英輔 |
| パウロ 十字架の使徒 | 青野太潮 |
| 弘法大師空海と出会う | 川﨑一洋 |
| 高野山 | 松長有慶 |
| マルティン・ルター | 徳善義和 |
| 教科書の中の宗教 | 藤原聖子 |
| 『教行信証』を読む 親鸞の世界へ | 山折哲雄 |
| 国家神道と日本人 | 島薗進 |
| 聖書の読み方 | 大貫隆 |
| 寺よ、変われ | 高橋卓志 |
| 親鸞をよむ | 山折哲雄 |
| 日本宗教史 | 末木文美士 |
| 中世神話 | 山本ひろ子 |
| 法華経入門 | 菅野博史 |
| イスラム教入門 | 中村廣治郎 |
| ジャンヌ・ダルクと蓮如 | 大谷暢順 |
| 蓮如 | 五木寛之 |
| キリスト教と笑い | 宮田光雄 |
| 密教 | 松長有慶 |
| 仏教入門 | 三枝充悳 |
| モーセ | 浅野順一 |
| イスラーム(回教) | 蒲生礼一 |
| 背教者の系譜 | 武田清子 |
| 聖書入門 | 小塩力 |
| イエスとその時代 | 荒井献 |
| 慰霊と招魂 | 村上重良 |
| 国家神道 | 村上重良 |
| お経の話 | 渡辺照宏 |
| 日本の仏教 | 渡辺照宏 |
| 仏教〔第二版〕 | 渡辺照宏 |
| チベット | 多田等観 |
| 禅と日本文化 | 鈴木大拙 北川桃雄訳 |

## 心理・精神医学

| | |
|---|---|
| モラルの起源 | 亀田達也 |
| トラウマ | 宮地尚子 |
| 自閉症スペクトラム障害 | 平岩幹男 |
| 自殺予防 | 高橋祥友 |
| だます心 だまされる心 | 安斎育郎 |
| 痴呆を生きるということ | 小澤勲 |
| 快適睡眠のすすめ | 堀忠雄 |
| 精神病 | 笠原嘉 |
| やさしさの精神病理 | 大平健 |
| 生涯発達の心理学 | 高橋惠子 波多野誼余夫 |
| コンプレックス | 河合隼雄 |

## 世界史

移民国家アメリカの歴史　貴堂嘉之
フィレンツェ　池上俊一
マーティン・ルーサー・キング　黒崎真
ナポレオン　杉本淑彦
ガンディー 平和を紡ぐ人　竹中千春
イギリス現代史　長谷川貴彦
ロシア革命 破局の8か月　池田嘉郎
天下と天朝の中国史　檀上寛
孫文　深町英夫
古代東アジアの女帝　入江曜子
新・韓国現代史　文京洙
ガリレオ裁判　田中一郎
人間・始皇帝　鶴間和幸
袁世凱　岡本隆司
二〇世紀の歴史　木畑洋一
イギリス史10講　近藤和彦

植民地朝鮮と日本　趙景達
シルクロードの古代都市　加藤九祚
中華人民共和国史〔新版〕　天児慧
新・ローマ帝国衰亡史　南川高志
近代朝鮮と日本　趙景達
マヤ文明　青山和夫
四字熟語の中国史　冨谷至
李鴻章　岡本隆司
新しい世界史へ　羽田正
パル判事　中里成章
グランドツアー 18世紀イタリアへの旅　岡田温司
マルコムX　荒このみ
パリ 都市統治の近代　喜安朗
ノモンハン戦争 モンゴルと満洲国　田中克彦
中国という世界　竹内実
ウィーン 都市の近代　田口晃
紫禁城　入江曜子
ジャガイモのきた道　山本紀夫

北京　春名徹
創氏改名　水野直樹
フランス史10講　柴田三千雄
地中海　樺山紘一
多神教と一神教　本村凌二
奇人と異才の中国史　井波律子
ドイツ史10講　坂井榮八郎
ナチ・ドイツと言語　宮田光雄
離散するユダヤ人　小岸昭
アメリカ黒人の歴史〔新版〕　本田創造
ゲルニカ物語　荒井信一
上海一九三〇年　尾崎秀樹
ゴマの来た道　小林貞作
文化大革命と現代中国　安藤正士・太田勝洪・辻康吾
ピープス氏の秘められた日記　臼田昭
中世ローマ帝国　渡辺金一
書物を焼くの記　鄭振鐸　安藤彦太郎・斎藤秋男 訳

# 岩波新書/最新刊から

1842 美しい数学入門　伊藤由佳理 著

分類の美から説き起こし、集合と論理、群論、線形代数学へと進む。「美しい」を切り口とした、文系理系を問わない数学入門。

1843 人口の中国史 ―先史時代から一九世紀まで―　上田 信 著

一八世紀の人口爆発を知れば、本当の中国が見えてくる。大変化のメカニズムを明らかにし、歴史と現在を人口から大胆に読み解く。

1844 性からよむ江戸時代 ―生活の現場から―　沢山美果子 著

妻との交合を記す日記や、夫婦間の裁判沙汰、医者の診療記録などを丹念に読み、江戸時代に生きた普通の女と男の性意識に迫る。

1845 国際人権入門 ―現場から考える―　申 惠丰 著

日本社会で現実に起きている人権問題も、国際人権基準から考えることで解決への新たな視座が得られる。実践的な入門書。

1846 暴君 ―シェイクスピアの政治学―　スティーブン・グリーンブラット 著　河合祥一郎 訳

暴君誕生の社会的、心理的原因を探り、絶対的権力への欲望と、その悲惨な結末を描いたシェイクスピアが現代に警鐘を鳴らす。

1847 ドイツ統一　アンドレアス・レダー 著　板橋拓己 訳

ドイツ統一から三〇年。冷戦末期の変容する世界政治の帰結であり、その後のすべての原点ともなった市民革命を明快に描く。

1848 道教思想10講　神塚淑子 著

老子の「道」の思想から、「気」の生命観、政治思想、仏教との関わり、日本への影響まで、丁寧なテキスト読解に基づく入門書。

1849 有島武郎 ―地人論の最果てへ―　荒木優太 著

土地や血統の宿命からは逃れられないと知りつつも、普遍的な個性や愛を信じた有島武郎の作品と生涯を読み解いていく。

(2020.10)